讲给孩子的
中国历史

④

近现代

刘兴诗 著

希望出版社

目 录

近 现 代

近现代

这一章讲的是什么故事

清朝末年，中国像是生病的巨人，被一群恶狼围着，恨不得活剥生吞。

英国人开着炮舰，厚着脸皮卖鸦片。碰着民族英雄林则徐，一点不客气，一把火烧光了害人的大烟。

英国佬气得嗷嗷叫，又开枪，又开炮，轰开中国的大门，从此没有好世道。

法国挽着英国一起来，放火烧了圆明园，又夺又抢真野蛮。

乐坏了旁边的老沙皇，趁火打劫占了黑龙江，又从后门搞新疆。

日本强盗最可恨，打了朝鲜打东北，强行霸占了台湾。

八国联军跟着来，你一块、我一块，要把中国瓜分完。

中国人，怎么办？快想个好办法，医好自己的毛病，挺起胸膛做巨人。

太平天国、义和团，改良变法都试遍，没有一样是出路。

孙中山，看得远。不能幻想出个好皇帝，只有实行共和，才能把民族命运改变。

武昌起义举大旗，腐败透顶的清王朝，终于彻底被推翻。

林则徐虎门销烟

英国绅士卖鸦片
想把中国人坑害完
林大人查禁，毫不讲情面

你会分清好人和坏人吗？

有的人戴着高筒礼帽和雪白的手套，身穿黑色燕尾服，说话轻声细语，一副文质彬彬的样子，自称是有教养的绅士。这种人，大概不是坏人吧！

那才不见得呢！

俗话说，人不可貌相。如果只从外表分好人和坏人，没准儿会上大当。

英国人自认为是西洋绅士中最讲礼貌、最有风度的绅士，可是他们在中国干的一件事情，就一丁点儿绅士风度也没有。

那时候，英国占领了印度，瞧见东方还有一个同样古老的中国，想一古脑儿都霸占住，在中国也占一片地方做殖民地。可是中国把大门关得紧紧的，怎么才能削尖脑袋钻进去呢？

有办法！英国绅士们学会了小偷抢人的一种江湖诡计。给别人喝一杯蒙汗药，等他变得晕晕乎乎神志不清的时候，就动手偷东西。

英国绅士给中国人喝的蒙汗药是

什么？

是鸦片。

鸦片就是大烟，可以麻醉人们的神经，而且很容易上瘾。天天吸鸦片，就会变得面黄肌瘦，精神萎靡不振，成为活骷髅架子，不用多久就会死掉。这是最坏、最坏的害人精。现在世界各国都牢牢把住自己的海关，不准把这种毒品带进来，抓住走私鸦片的毒贩，不绞死，也要关进监牢把牢底坐穿。英国法律也不例外。而英国为什么起了这个坏心眼，要把鸦片带到中国来呢？

请问，这是文明绅士做的事情吗？

他们卖鸦片，为什么自己不吸鸦片呢？

说穿了，他们想赚大钱，把中国人都变成大烟鬼。然后不费吹灰之

清朝的对外贸易

小知识 在清朝前期的对外贸易中，中国主要输出茶叶、丝绸、土布、瓷器等，销量很大，加上清政府的独口通商政策，使中国对外贸易长期保持出超。

为了改变自己的不利地位，英国从1773年起，开始对中国实行鸦片贸易，到道光十八年，向中国输入的鸦片已达4万多箱，导致中国对外贸易由出超变为入超、每次年白银外流达420万两，既毒害了中国人，又给清朝的财政造成巨大损失。

力，把中国霸占成自己的殖民地，成为第二个印度。

英国人拼命把鸦片运进中国，占了大便宜，别的洋人见了眼红，美国、葡萄牙和俄国人也跟着干，闹得乌烟瘴气。

中国人没有都被鸦片麻醉住神经。

有一个名叫林则徐的大臣很有眼力，对道光皇帝说，再不禁烟，不得了啦！

第一，抽鸦片的人越来越多，都变成大烟鬼，以后连拿得动刀枪的兵，也找不到一个了。

第二，大家买鸦片，银子都被外国奸商骗走，中国会变成穷光蛋。

再不下决心禁止吸鸦片，中国就会亡国灭种。

不听不知道，一听吓一跳。道光皇帝听了很着急，就派林则徐当钦差大臣，到广东去禁烟。

那时候，广州是中国唯一的通商港口，鸦片主要就是从这里偷运进来的。

林则徐刚到广州，还不太了解情况。要想一个办法，先把情况弄清楚再说。

他走进一个书院，把学生召集在一起，紧紧关上大门，一人给他们发一张纸。学生们以为钦差大臣要考他们，心里有些紧张。谁知，林则徐却要他们把自己知道的卖鸦片的情况，统统写出来。

原来是这么一回事，青年学生平时就恨透了鸦片，都一五一十说出广州卖鸦片的情况。林则徐又从别的地方了解到许多线索，很快就弄清楚，总根子是英国烟贩为首的一伙外国奸商。不斩断这只黑手，堵住走私的漏洞，就没法彻底禁烟。

他立刻出了一个通告，命令外国商人必须在三天内交出所有的鸦片，保证再也不这样干。以后被查出来，一律砍头、没收货物，决不讲情面。

消息传出去，住在商馆里的外国商人们慌了神，不知道该交，还是不交。

正在节骨眼儿上，英国商务监督义律慌里慌张赶来了，给这些奸商打气说："谁也别交鸦片。大家别害怕，大英帝国的舰队就在这儿，谁敢动咱们一根毛！"他怕出事，还偷偷把大鸦片贩子颠地放走，叫林则徐抓不着人，来一个死不认账。

瞧，这个英国官员完全不讲绅士风度了，露出了一副流氓痞子嘴脸。他自以为这样做，林则徐就没有办法，根本就不把林则徐的警告放在眼里。

他打错算盘了。

林则徐对卖鸦片的外国商人再发出一次严厉的警告：马上交出所有的鸦片！并派兵包围商馆，不给吃的，不准他们和外面联系。

从现在起，停止和英国做生意。

面对林则徐采取的断然措施，义律像泄了气的皮球，再也凶狠不起来了。他们的军舰停泊在海上，远水救不了近火，只好垂头丧气地叫大家把鸦片乖乖交出来。

林则徐收缴了两万多箱鸦片，在珠江口的虎门海滩上挖了一个大坑，撒上生石灰，放进海水，把鸦片通通销毁。海滩上人山人海，大家拍手欢呼，比过节还高兴。

虎门销烟销毁了害人的鸦片，也把外国奸商的威风扫个精光，这是中国人扬眉吐气的日子。

这一天是六月初三，大家就把它定为禁烟节。

8

鸦片战争

英国炮舰轰开了中国大门
强迫订了城下之盟
这个条约不讲理、不公平

砰，砰，砰……

听，有人敲门。

谁在敲大清帝国的大门？

来的是开着军舰的高鼻子洋人。

桅杆上高高飘扬着米字旗。噢，这是英国军舰呀！总共有48艘，在珠江口外排得密密麻麻。炮筒子翘得高高的，是一支武装到牙齿的庞大舰队。

俗话说，来者不善，善者不来。那一下又一下的"砰、砰、砰"的声音，不是有礼貌的客人在轻轻敲门，是带着硝烟和火光的枪炮声呀！

有血性的中国人啊，请牢牢记住这一天。

这件事发生在公元1840年6月。气势汹汹的英国舰队炮轰中国海岸，为的是轰开中国的大门，给受到林则徐严厉惩罚的鸦片贩子出气，把害人的鸦片硬塞进来。

世界上哪有这样蛮不讲理的事情？今天的臭名远扬的贩毒集团也不敢这样做，想不到自命文明高贵的大英帝国竟这样做了。历史证明，他们是人类有史以来最猖狂的贩毒集团。

鸦片战争开始了。

这场战争打了两年多，一共有三个回合。

在第一个回合里，张牙舞爪的英国强盗刚开始并没有占到便宜。林则徐早就作好准备，组织好军队和老百姓，把他们打得在海上团团乱转，一步也别想登上中国海岸。

英国人在广州碰了一鼻子灰，顺着海岸线往北走，想再找一个窟窿眼儿钻进去。他们攻打厦门，又被一脚踢下海去。

他们接着往北窜，干脆一直闯进渤海湾，攻打天津大沽口。同时还给中国政府写了一封信，胡说林则徐禁烟是残害英国人，并要求割地、赔款、通商。如果不答应，就一直打进来。

大沽口是北京的海上大门，离北京很近。道光皇帝害怕了，连忙把林则徐撤职，流放到遥远的新疆伊犁去，以求英国人退兵。并派一个叫琦善的大臣到广州去，和英国代表义律讲和。

这个义律就是在林则徐面前，乖乖地低头交鸦片的家伙。现在他神气活现了，以胜利者的姿态重新出现在谈判桌边。琦善是一个软骨头，义律说什么，他就答应什么，不敢说半个"不"字。

可是其中有一条，他有天大的胆子，也不敢一口答应下来。

英国要求割让香港，在中国领土上要硬生生剜一块肉。

琦善对义律说，这件事实在太大了，不请示皇帝不行。

傲慢的义律不管这一套，一面派兵攻打海防炮台，威吓中国人。一面自己提起笔，写了一个《穿鼻草约》，硬说是和琦善在穿鼻洋边商量好了的，把香港岛割让给英国。接着他就用这个伪造的条约做理由，派兵强占了香港岛。鸦片战争的第一个回合结束了。

真是岂有此理！如果有一个强盗闯进你的家里，拿一张他自己写的字据，说是你的卧室已经划给他了，你不生气吗？

道光皇帝冒火了，下令对英国宣战。他派皇侄奕山带领大军，赶到广东去打仗。鸦片战争的第二个回合打响了。

义律听说中国军队来了，先下手为强，进攻广州外围的海防要塞。当他们进攻虎门炮台时，年过花甲的水师提督关天培站在最前面，指挥官兵奋勇抵抗，打退敌人一次次进攻。可恨坐在广州城里的琦善害怕得罪英国人，不派一兵一卒增援。关天培遍体鳞伤、血染战袍，还亲自点燃大炮轰击敌人，誓死不离开炮台。最后不幸壮烈牺牲，虎门炮台终于沦陷了。敌人趁势一直打到广州城下。

广州老百姓盼呀、盼呀，眼睛都望穿了，好不容易才盼到奕山带领大军慢吞吞赶来。谁知奕山的军队纪律很坏，不敢和敌人交手，却到处骚扰老百姓。当敌人进攻时，立刻在城上竖起白旗投降了。中英签订了《广州和约》，规定清军退出城外 60 里，交了一大笔"赎城费"，才能够再回城。鸦片战争第二个回合，就这样不光彩地结束了。

官军投降了，老百姓却没有认输。

有一天，一伙英国兵在广州北郊三元里行凶，调戏妇女，被老百姓狠狠揍了一顿。大家干脆组织起平英团，聚集了几万人，在牛栏冈打了一个大胜仗。接着包围了英国兵盘踞的炮台，要把这伙强盗消灭光。奕山知道了，居然派人去给英国人解围，连

威吓，带哄骗，把老百姓赶走。忘了他自己是带兵来抵抗敌人的大臣，简直是认贼作父了。

英国佬捡了一条命，又趾高气扬起来，厚着脸皮贴了一张布告说："这次百姓闹事，多亏了大英帝国宽宏大量才饶了你们，以后不准再闹了。"

老百姓气坏了，也贴了一张《广东义民谕英夷告示》说，"如果你们胆敢再来侵犯，我们不用官兵，不花国家一分钱，自己出力，也要杀尽你们这些猪狗"。瞧，这些老百姓多么有志气！

奕山生怕老百姓得罪了英国人，竟和英国人一个鼻孔出气，骂老百姓是"刁民"，请英国人不要和老百姓一般见识，连忙赔礼道歉，真无耻到了极点。

尽管这样，英国还是不满足。他们自己也觉得义律连哄带蒙，一手捏造出来的《穿鼻草约》实在太不像话。他们要"名正言顺"占领香港岛，还要清政府答应许多条件。又继续派兵来打中国，一定要中国无条件接受他们的全部要求才退兵。

鸦片战争第三个回合开始了。一次次血战，留下了一件件血的记录。

英军攻打厦门，厦门和金门守将奋勇抵抗，全部光荣牺牲。

英军再打定海，总兵葛云飞冲进敌阵，被一颗炮弹击中胸膛，英勇殉国。

英军接着打镇海，蒙古族两江总督裕谦死守城堡。城被攻破了，他宁愿自杀也不投降。

敌人进攻吴淞炮台，66岁的老将陈化成冒着枪林弹雨，亲自手握令旗，站在炮台上指挥作战。打沉敌舰两艘，打死、打伤敌人一大片。他身上七处受伤，也不后退半步，和全体官兵一起为国捐躯，倒在硝烟弥漫的炮台上。

凶恶的敌人打到镇江。守城的满族八旗官兵在海龄带领下誓死抵抗，展开激烈巷战，不肯轻易放弃一寸土地。许多官兵先杀死自己的妻子儿女，不让他们受敌人侮辱，再和敌人拼命。有的官兵家属也用自杀的办法，断了亲人的后顾之忧，鼓励他们奋勇冲杀，死也不要回头。镇江沦陷了，所有的官兵全部战死，没有一个人低头投降敌人。英军进了镇江，烧杀奸淫，和后来的日本鬼子南京大屠杀没有两样。

多么忠勇的将士，多么悲壮的战斗！可惜清朝政府硬不起脊梁骨，1842年8月29日，在炮口指着南京城的英国军舰上，签订了屈辱可耻的《南京条约》：

开放广州、福州、厦门、宁波、上海五口通商。英国货和鸦片可以大摇大摆运进来。

中国海关不准随便给英国货加税。

赔款2100万银元。林则徐烧的

鸦片要赔，英国强盗打死中国人的每颗炮弹、每颗枪弹也要赔。

不消说，还有一条，一定要割让香港岛。

这些条件非常苛刻，英国人觉得还不满意，接着又逼着清朝政府再订一个《虎门条约》和《五口通商章程》，又加上许多蛮不讲理的要求。

英国可以在许多地方划一块租界。租界里的事情，不准中国人过问。

英国人在中国犯了罪，中国不能管。

英国军舰可以随便停在中国港口。

《南京条约》是帝国主义强加在中国人头上的第一个不平等条约，实在太欺负人了！

虽然中国还和印度不一样，没有完全变成帝国主义殖民地，但也成为了可怜的半殖民地。从这一天开始，中国人就没有好日子过了。

别的国家瞧见中国这样好欺侮，也纷纷前来趁火打劫，想分一点好处。

美国强迫中国订立了不平等的《望厦条约》，法国也强迫中国订立了《黄埔条约》。

一群恶狼从四面八方扑到古老的中国的身上，吞噬着中国人民的血肉，瓜分着我们的神圣国土。

有志气的中国人啊！别忘了鸦片战争的耻辱。谁忘了国耻，就不配做中国人。

13

火烧圆明园

美丽的"园中之园"
被两个强盗烧成焦土一片
他们的行径多么凶残

狼是最贪心的野兽。咬了别人一口，还想咬第二口，恨不得把别人撕成碎片，统统吞进肚皮。

英国就是这样的野心狼。发动鸦片战争占了便宜，觉得还不够，想狠狠再咬中国一口。

法国瞧着眼馋，也想跟着一起捞一点便宜。

这两个野心狼都没有安好心眼儿，想找机会和中国再打一场，多榨一点油水。

想找碴打架还不容易吗？

不久中国人在广州港内的亚罗号船上抓了几个海盗。英国人找到理由了，硬说这只船是英国的，中国人侮辱了英国国旗，派军舰闯了进来，挑起了战争。

有一个法国天主教神父叫马赖，在广西行凶作恶，被当地政府处死了。法国也找到一条理由，宣布要"为圣教而战"，伙同英国组织了联军。

美国和俄国也和他们串通在一起，有的唱红脸，有的唱白脸，共同对付中国。

英法联军向驻守广州的清朝两广总督叶名琛发出最后通牒，要求赔偿损失。叶名琛吓坏了，连忙派人把在亚罗号上抓的海盗全部送回去。存心找碴的英国佬还是不满意，说他派来的官太小了，侮辱了自己，立刻派兵攻打。

这次战争也和英国人想多做鸦片生意有关系，肮脏的战争侵略开始了。——史称第二次鸦片战争。

可笑的是，面对敌人进攻，叶名琛一点也没有做准备。他迷信"仙人"给他的指点，"过几天就没有事了"，认为英国佬和法国佬进攻是虚张声势吓唬人的。

穷凶极恶的英法联军才不是吃素的呢，立刻打进广州，抓住了倒霉的糊涂蛋叶名琛。他这才明白，"仙人"的话一点也不灵，后悔已经晚了。

广州巡抚柏贵投降了敌人。英法联军成立了"联军委员会"。自己给自己封官授权，管理广州城。卖国贼柏贵充当狗腿子，帮助他们维持秩序。把广州搞得乌烟瘴气，几乎闹腾了四年。这个无耻的卖国贼，是中国第一个跪在洋人面前的汉奸傀儡政权头子，和后来的汪精卫是一路货色。别让他在历史书的夹缝里溜掉了，狠狠唾骂他一顿吧！

英法联军占了广州还不够，又一直开到大沽口，想"教训"一下清朝政府，再得到更多的好处。美国和俄国也来凑热闹，四国军舰停在海岸边，一起把炮口朝着中国。四个强盗同时给清朝政府发出警告，叫清朝马上派人来谈判。

有什么好谈判的？

中国人在什么地方亏待了他们？

说来说去，就是要一步步逼得更紧，把中国完全变成他们的殖民地。

英国、法国和中国打仗，美国和俄国跑来干什么？岂不是也想分一杯羹吗？

强盗，自然有强盗的逻辑。

英国和法国说，他们派军舰来，是护送谈判代表的。

美国和俄国说，他们派军舰来，是来劝架的。

他们按照各自的分工，表演得非常精彩。

美国和俄国装模作样劝了一阵子，让英国和法国舰队做好准备，突然发动进攻，一直打到天津城下，口口声声叫嚷着要打到北京。清政府连忙派人来，忍气吞声签订了《天津条约》。

这个条约规定，外国军舰和商船可以在长江自由航行，外国人可以在中国内地自由传教、做生意，再开十个港口通商。赔偿英国和法国打仗花的钱，总共六百万两银子。

美国和俄国，也因"劝架"有

功，逼着清朝政府同时订了两个条约，各自捞了许多好处。

几个强盗得意了。可是他们回头一想，这次打仗主要为了多做鸦片烟生意，可条约上还没有写清楚这一条，还没有办法。过了几个月，英国、法国、美国又逼着清朝政府，在上海签订了一个给《天津条约》补疤的新条约。

正式宣布鸦片生意是合法的。"鸦片"这个名字不好听，从现在起，改名叫做"洋药"。吃洋人送来的"药"，就合情合理了。

检查洋货进口的海关很重要，规定清朝政府必须请英国人来帮忙。有了英国人监督的中国海关，以后再运什么东西进来，就不用偷偷摸摸，方便得多了。

谁知这伙贪心狼还不知足。第二年，英、法、美三国又威胁清朝政府，要派代表到北京来交换条约。

来换，就换吧！清朝政府规定他们只许来二十个人，从指定的地方上岸。英国和法国却开着军舰，蛮横地闯进大沽口，炮轰大沽炮台，想全副武装开到北京去。炮台守军实在忍不住了，开炮还击侵略者，打沉敌人十多艘军舰。英国舰队司令受了重伤，副司令和法国舰队司令都被打死了。美国舰队司令瞧见情况不妙，撕下了"公正"的伪装，也下令开炮参战。英、法舰队狼狈逃跑的时候，又留在后面打掩护，实在不像话。

其实，这些强盗并没有什么了不起。中国军队认真和他们打，不一定打不赢，大沽口炮战就是最好的证明。

可是，下一仗中国就吃亏了。英法联军要报仇，调了两万多精兵、两百多艘军舰卷土重来。先占了舟山群岛，又占了大连和烟台，直趋大沽口。

他们吃了大沽炮台的亏，不敢冒里冒失从正面进攻。俄国公使假装跑来劝架，在海边转了一圈，悄悄把情报告诉英法联军：

大沽炮台有许多清兵，千万去不得。旁边一个地方没有人防守，从这里登陆最好。

俄国公使也不顾"中立国"外交官的面子，带着英法联军从大沽炮台侧面登陆，包抄了清兵后路，一下子攻破了大沽炮台和天津，得意洋洋朝北京开来。

洋人打到北京门口，这还了得！咸丰皇帝连忙调来清朝的王牌部队，僧格林沁亲王麾下的蒙古骑兵前往阻挡。

两军在北京东边的通州八里桥相遇了。

穿红军装的英国兵，蓝军装的法国兵排成方队，像接受检阅似的奏起军乐，操着正步走过来，仿佛在他们的面前，空空荡荡，没有一个人似的。

僧格林沁气坏了，捏紧拳头高喊

一声："杀!"放开战马，领头冲了过去。早就憋足了劲的蒙古骑兵，挥舞着寒光闪闪的马刀，像旋风一样扑向敌阵。

敌人开火了。这些胆小的强盗不敢和蒙古骑兵肉搏拼杀，仗着洋枪洋炮，远远地就轰倒了一批又一批奋勇冲杀过来的蒙古骑兵。鲜血染红了沙场，蒙古骑兵的血肉身躯最终抵挡不住密集炮火，含着泪水和满腔怒火败退了。

前面再也没有障碍，英法联军终于攻进了北京城。咸丰皇帝慌里慌张翻过长城逃到热河，把京城留给侵略者，随便他们怎么处理。

摆在英法联军面前的，是一个东方古老王国的首都。城内的金銮宝殿，城外的圆明园，富丽堂皇、金碧辉煌。他们像是阿里巴巴似的，突然闯进一座宝库，惊奇得瞪大了眼睛，高兴得发了狂。

怎么处理这个东方宝库?

抢!

他们本来就不是什么"文明绅士"，是彻头彻尾的海盗。抢劫和犯罪，在他们的历史档案上不知已经记下了多少笔。现在贼性不改，又闯进别人家里抢东西，就一点也不奇怪了。

啊，他们在圆明园里，简直看花了眼睛。

抢呀!不管什么古玩珍宝，统统塞进口袋里。每个人都扛着、提着鼓鼓囊囊的大袋子，哪里像是庄严的军人，简直是一伙野蛮的土匪。

他们抢红了眼睛，像真正的土匪分赃不均一样，互相争夺，吵了起来。

英国人说法国人不像话，竟敢把他们给女王留的宝物也抢走了。法国人嘲笑说，谁先动手抢别人夺来的东西，自己心里明白。大家都在乱争乱抢，谁也别怨谁。

能抢光的珍宝都抢走了，实在搬不动的就砸得稀巴烂。留下的作案现场怎么办?干脆放一把火烧个精光，来它一个死无对证。

真的没有证据吗?

捉贼捉赃。今天在英国和法国的博物馆里，还堂而皇之地摆放着中国

圆明园

圆明园是我国古代著名的皇家园林。它建于康熙年间，后经历代皇帝的不断修饰和扩建，到道光时期，已形成一个占地五千多亩，包括圆明、万春、长春三园的园林建筑群。

圆明园景致优美、风格独特，园内一百多处景点，汇集了古今中外园林建筑之精华，谐调优美，变幻无穷。此外，园中还种植了多种奇花异草。放养了许多珍禽异兽，加上珍藏的价值连城的古玩、书籍、珠宝，更使圆明园成为当时世界上独一无二的园林精品。

17

的珍宝古董，就是从圆明园里抢走的东西。

人世间竟有这样猖狂的强盗，居然好意思厚着脸皮把抢来的赃物陈列出来给大家看。这些强盗还有一丁点儿羞耻吗？

谁说没有证据？

圆明园烧毁的残垣断壁，岂不是向野蛮的侵略者无声控诉的活证据吗？每个热血沸腾的中华儿女来到这里，能不感到无比气愤么！

圆明园的故事还没有完。

这伙强盗干了这样可耻的坏事，不但不低头认错赔偿，反而趾高气扬地强迫清朝政府订立了《北京条约》，要求赔偿他们一千六百万两银子，做他们出手打砸的费用，又把九龙半岛割让给英国……

天哪！这个世界还有公理吗？

太平天国的故事

洪秀全说，他是上帝的儿子
扯起了造反的大旗
演出了一场轰轰烈烈的好戏

中国衰弱成这个样子，受尽了外国的欺侮，老百姓的日子更不好过。怎么才能过上好日子呢？

看来，用从前的老办法不行了，要想一个新办法才好。

广东花县有一个叫洪秀全的人，接连考了许多次，也没有考上秀才。眼见考场和社会一样黑暗，实在灰心了，他想找一个激烈的新办法来改变社会和自己的命运。

他在广州赶考的时候，看了一本宣传基督教的小册子。心里想，自古相传的封建礼教帮不了自己的忙，没准儿基督教可以解决问题吧！

他眉头一皱，计上心来，对大家说：上帝在梦里告诉他，他是上帝的儿子，耶稣的弟弟。上帝派他下凡来消除妖魔，帮助大家过好日子。就组织起拜上帝会。

"妖魔"是谁呢？

依他说，谁欺侮老百姓，谁就是"妖魔"。老百姓当然赞成。

可是，他为了宣传基督教，竟把孔老夫子也说成是邪恶的了。许多人听了就摇头，他在私塾教书的饭碗也就打破了。不过许多老百姓却并不十分在意。穷得实在活不下去了，有人带领他们寻找好日子就好，顾不上争论孔老夫子是好、是坏的问题啦。

洪秀全瞧见时机成熟了，趁势就在广西桂平县金田村，聚集群众宣布起义。

他对大家说："我们要推翻朝廷，除尽天下的妖魔，让大家过太平日子。干脆建立一个新国号，就叫太平天国吧！"他自称天王，带领大家杀出广西。一直杀到南京，把这里当成天京，坐稳了王位。

太平天国为什么这样顺利？因为它提出了一连串对老百姓有好处的口号，所以刚开始大家都拥护它，打了许多胜仗。

它宣布，天下的田地，是天下老百姓自己的，应该按人口平均分配。想建立一个"有田同耕，有饭同食，有衣同穿，有钱同使，无处不均匀，无人不饱暖"的理想社会。穷苦老百姓听了，怎么不欢迎？

可惜接连不断打仗，这些想法没法一下子实现，实在太遗憾了。

太平天国靠着老百姓的帮助，几乎毫无阻拦就打到了南京。又派兵北伐、西征，攻占了许多地方，一直打到离北京不远的地方。洪秀全自以为就要取得最后胜利了，陶醉在胜利的喜悦里，开始摆威风、讲排场了。丢了从前艰苦朴素的作风，住在王宫里

享乐，很少再管外面的事情，把所有的大事都交给东王杨秀清管理。

太平天国从广西打了第一个大胜仗开始，就随便封王，最后封了两千七百多个。大家都是王爷，谁也不服谁。杨秀清是一个野心家，瞧见洪秀全不管事，众多王爷都摆架子，就想怎么才能抬高自己的地位？

有一个办法：他也学洪秀全，故意装神弄鬼地大喊大叫，自称是"天父下凡"，天父附在他的身上要教训大家。连洪秀全也要跪在地上听他的教训，他的地位一下子抬高了。

洪秀全心里明白他玩的什么鬼把戏。觉得他的权力太大了，对自己没有好处。就悄悄叫北王韦昌辉回来，除掉了杨秀清。

谁知韦昌辉比杨秀清更厉害，趁

机杀害了许多有功的将士，说他们都是杨秀清一伙的，他代替杨秀清掌政，更加横行霸道。

韦昌辉的行为，激起大家的公愤。翼王石达开带头，领兵赶回天京杀了他和他的同党。想不到洪秀全疑神疑鬼，又对石达开起了疑心了。

石达开不敢反抗洪秀全，又不敢留在天京，只好带领一支兵马离开这个是非窝，到别的地方去另打天下。他没有根据地，一路打仗非常困难，最后被清军包围在遥远的四川西部大渡河边，被俘壮烈牺牲。

太平天国经过这场内乱，互相残杀了许多人，石达开又带走一支精锐部队。力量越来越小，许多占领的地方又重新丢掉。只能靠青年将领忠王李秀成、英王陈玉成苦苦支撑着，保住天京附近一小片地方，形势非常危急。

正在这个时候，最早和洪秀全一起创办拜上帝会的洪仁玕，从香港回来了。他在香港接受了一些西方的科学文化，想帮助洪秀全改革朝政，重新建造太平天国。可惜时间太晚了，洪秀全只相信自己的亲戚，对谁也不相信。他对战事丧失了信心，把唯一的希望寄托在上帝显示奇迹上。整天关在宫里祈祷上帝，甚至把国号改为

"上帝天国"，又改成"天父、天兄、天王太平天国"，但这也挽救不了前方节节失败的命运。

清军起初被太平天国打得缓不过气。朝廷眼看正规军没有用，就号召各地组织团练乡兵，自己保护自己。其中有一个叫曾国藩的人，读了很多书，28岁就做了翰林，当皇帝的侍郎。他响应皇帝的号召，也组织了一支乡兵，和太平天国打仗。

起初，曾国藩打了一些败仗，还曾经被太平天国的军队逼着，想跳水自杀。后来太平天国衰弱了，他的势力越来越大，手下的湘军居然成了清朝的主力部队，给太平天国造成很大的威胁。

太平天国的势力最大的时候，英国听说他们也相信上帝，觉得这是一个好机会，想拉拢他们一起对付清朝，派了一个外交官去拉关系，要太平天国承认英国在中国有特殊的权力。只要太平天国点头，英国就帮助

他们。

哼，要太平天国做洋鬼子的傀儡，真是白日做梦！英国佬碰了一鼻子灰，立刻翻了脸，和法国、美国一起，支持一些外国流氓组织起洋枪队，帮助清朝政府打太平天国。

太平天国越来越困难了，清军布下了江南大营和江北大营，紧紧围困住天京。最后，天京终于被攻破。李秀成保住洪秀全的儿子幼天王冲出来，也不幸被俘牺牲。轰轰烈烈的太平天国起义，终于在中外敌人联合围攻下失败了。有一些残余部队，联合北方的捻军继续战斗，最后也相继失败。一场燃遍全国的熊熊烈火终于被完全扑灭了。

洪仁玕(gān)和《资政新篇》

小知识

洪仁玕是太平天国领导人之一，他是洪秀全的族弟，曾参加创立拜上帝会。1851年，由于在广西没能赶上太平军，之后便长期避在香港、上海等地。此间，他接触到西方资本主义的科学文化，对世界局势也有相当的了解，思想有了较大变化。1859年，洪仁玕辗转来到天京(南京)，被封为干王，总理政事。在这期间，他向洪秀全提出了一个统筹全局的方案——《资政新篇》。

《资政新篇》主张效仿西方资本主义制度，修水利、奖励科技发明、建立税收机关等等，以期改变中国的社会面貌。《资政新篇》虽然未能真正实施，但它毕竟是中国近代第一个系统的资本主义改革方案，符合中国发展的客观要求，因而具有一定的进步意义。

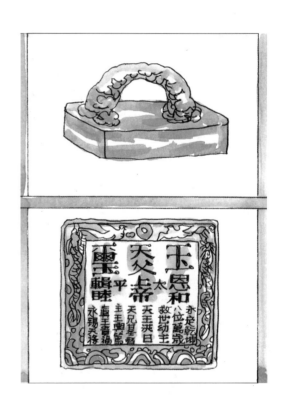

太平天国玉玺

趁火打劫的俄国佬

> 前门一只虎，后门一只狼
> 最可恨的是俄国老沙皇
> 妄想一口吞掉黑龙江

一块蒙上了尘沙的金子，永远是金子。

一个真正的爱国者，不管受到什么不公正的对待，也永远不会怨恨自己的祖国。自己吃一点亏算什么？他们心里想的，只有最亲爱的祖国。即使在受尽屈辱的时候，也在默默地做着自己应该做的事情。

他们这样做只有一个原因，因为他热爱自己的国家。

领导虎门销烟，英勇抵抗英国强盗的林则徐，就是这样的人。

他含冤受屈，被流放到新疆西北角的伊犁，意志也没有消沉，尽心尽力帮助当地的老百姓，在荒凉的戈壁滩上开挖水渠，发展农业生产。又冒着风沙烈日，在天山南北考察了许多地方，把巧妙的坎儿井地下灌溉的方法，带到最热最干的吐鲁番，大家都很感谢他。

即使在这样困难的时候，林则徐也没有忘记祖国的安全。他是一个目光敏锐的政治家，在西北边疆看出了，悄悄地一步步从后面走过来的俄国佬，比在前门张牙舞爪的英国人更可怕。

林则徐说话了。俄国的野心比别的洋鬼子大多了，是当时中国最可怕的敌人。

俄国沙皇住在远远的乌拉尔山那边，却把脑袋伸过来。贪婪地望着东方的中国。妄想在中国身上再割下几块肥肉，建立"黄俄罗斯"，成为俄国的一部分。

瞧，这只俄国熊的胃口真不小啊！

中国在鸦片战争中吃了败仗，俄国沙皇觉得机会来了，正好趁中国被西方列强围着搞得焦头烂额的时候，从背后插一刀，给自己捞点好处。

他立刻任命一个叫穆拉维约夫的家伙做东西伯利亚总督，组织一支"外贝加尔哥萨克军"，作为侵略中国东北地区的先锋。

这伙强盗比鸦片战争里的英国佬还猖狂。连招呼也不打一下，背起在一块白布上打了一个大叉的俄国国旗，闯到黑龙江口的庙街。把旗子一插，就宣布这是俄国新开发的领土。自作主张改掉原来的中国地名，用沙皇的名字，取名叫做尼拉耶夫斯克。

用这种办法侵占别人的领土，真方便！

他们一口气窜到库页岛，又顺着黑龙江，拿起旗子乱插一通，宣布这些地方也都是俄国的。

留着翘八字胡的沙皇，学着强盗的口气，非常狂妄地说："不管俄国国旗在哪里升起来，就不能再降下去。"立刻宣布，这是俄罗斯新成立的"滨海省"。他们打算发展"黄俄罗斯"的梦想，已经一步步实现了。

请看，这些俄国强盗多么不讲道理！

这样蛮干，中国当然不答应。

穆拉维约夫仗着手里有几支洋枪，想动武力。另一个更加阴险的俄国佬说："别急，我有一条妙计。不费一颗子弹，就能叫中国乖乖地低头，接受我们的条件。"

他有什么妙计？

说穿了，就是招摇撞骗。挥起拳头打架，厚着脸皮骗人，这是流氓惯用的手法。

这时候，恰巧遇着英法联军挑起第二次鸦片战争。俄国正好利用这个机会混水摸鱼，捞取好处。

这样就发生了我们讲过的那一幕。俄国佬在两边窜来窜去，装做和事佬，找机会给自己捞好处。英法联军进攻大沽口的那一天，俄国人就趁机胁迫清朝政府，说他们可以劝架，要求重新勘修两国边界。清朝政府愁得焦头烂额，哪有时间和他们泡蘑菇，便推开这只嗡嗡乱飞，吵得烦人的苍蝇，叫他们去找黑龙江将军奕山谈判好了。

英法联军刚打下了大沽口，俄国侵略军头子穆拉维约夫，就趾高气扬带兵赶到黑龙江边的瑷珲，找奕山谈

24

判。

奕山是谁？就是那个在第一次鸦片战争里，吓得磕头作揖举手投降和英国签订《广州和约》的软骨头。让他和比英国强盗更凶狠的俄国强盗谈判，不吃亏才是怪事！

唉，昏了脑袋的清朝政府，竟派这种没有骨气的人守边疆，难道堂堂中国选不出第二个人吗？读了这段历史，人人都会气破肚皮。

两个人一见面，穆拉维约夫便摆出主人的架子，拿出他早写好的条约草稿，叫奕山画押签字，不许奕山讨价还价。他威吓说："如果你敢不签字，英国、法国打你的前门，我们就打后门，到时候你可不要后悔！"

25

说着，江上的俄国舰就开了炮。炮弹呼呼地从头顶飞过，落在地上轰的一声开了花。奕山吓得脸色煞白，连忙提起笔，抖抖索索地在条约上签了字。黑龙江以北、外兴安岭以南，60 多万平方公里的土地，拱手让给了俄国。这还不算，乌苏里江以东的一大片土地，也为中俄"共管"。丧权辱国的《瑷珲条约》，就这样签订了。奕山这个胆小的卖国贼，配当什么镇守边防的大将军！

俄国强盗占了大便宜，几发炮弹就换来了一大片肥沃的土地，比英国、法国硬冲硬打高明得多。

俄国强盗的胃口大极了，一口吞下这块肥肉，又盯住另一块。它才不满足和中国"共管"乌苏里江东面的一片土地呢！还想和西方列强一样，在中国享受特权。

《瑷珲条约》的墨迹还没有干，当英法联军进攻天津的时候，俄国又抓住一个好机会，以"劝架有功"做理由，抢在英国、法国和美国的前面，逼着清朝政府和它订了中俄《天津条约》，取得包括台湾和海南岛在内的七处口岸的通商权利，把北极熊的爪子一直伸到温暖的南海边。还取得了在内地随便传教和领事裁判权。又特别声明，中俄两国的边界没有划清楚，以后还要重新再"勘查"一下。

接着，又派兵占领了乌苏里江东面的地方，把中国官员赶回西岸。占领了重要港口海参崴，改成一个啰里啰嗦的俄国名字，叫做符拉迪沃斯托克，就是"东方领地"的意思，成为俄国在太平洋的窗口。

乌苏里江的重要城镇伯力也被占领了。用一个双手沾满了中国老百姓鲜血的俄国强盗头子的名字，取名叫做哈巴罗夫斯克，真恶心！

英法联军打到北京，火烧圆明园。俄国趁机逼着被打得喘不过气的清朝政府，再订了一个《北京条约》，把乌苏里江东面的 40 万平方公里的土地都割让给它。库页岛也丢掉了，中国从此失去了通向日本海的港口。

接着，俄国又借重新勘查边界为理由，强占了中国西北边境的 44 万平方公里的领土。美丽的巴尔喀什湖，"苹果之乡"阿拉木图，连李白出生的碎叶城，统统都在一夜之间，被贪婪的俄国熊吞进了肚皮。后来，居然有人以李白出生在俄国占领的地方为理由，恬不知耻地叫嚷纪念"伟大的俄罗斯诗人李白"，简直不知道人间还有羞耻两个字。

让我们算一笔账。在英国和法国发动的第二次鸦片战争中，俄国总共侵占了中国领土 144 万多平方公里，几乎是英国和法国加起来的一倍，是这次战争里夺得赃物最多的强盗。

难怪恩格斯当时十分愤怒地说，俄国人"有多大本领，就能干出多大的伤天害理的事情"。马克思也说：

"从这次海盗式的英中战争中，取得实利的唯一强国是俄国。"

十月革命成功以后，列宁曾经说，沙皇掠夺中国的领土，都应该无条件还给中国。可惜他很快就死了，这件事情没有实现。

民族英雄林则徐说对了，俄国是当时中国最大的威胁。如果让他镇守边疆，就好啦!

魏源　　　　　　　　　李鸿章　　　　　　　　　张之洞

28

"富国强兵"梦

有人想向外国学习
有人说，这坏了老规矩
万万不可以

清朝和洋鬼子打了两场鸦片战争，吃了大亏。有人心里想，为什么打不过洋鬼子？只不过他们的铁甲军舰很坚固，新式枪炮比较有威力罢了。如果我们也有这些新式武器，就不怕他们了。

新式武器从哪里来？

向外国买呀！

如果他不卖呢？

派人去学呀！

如果他们不教呢？

哦，这就不好办了。

幸亏洋鬼子想赚钱，愿意卖武器给中国，也欢迎中国派人去学。世界上不止一个洋鬼子国家，互相勾心斗角，抢着做生意。谁卖了东西，就能赚一大笔钱，当然愿意卖给中国。再说，他们卖给中国的不是最好的枪炮，也不用害怕，所以就答应了。

最早主张向外国学习的是林则徐和魏源。魏源说"学会洋鬼子的本领，再来对付洋鬼子"，是很有眼光的。

那时候，朝廷里有不少人有这种看法。最有势力的是恭亲王奕䜣(xīn)，干得最起劲的是李鸿章。因为他们主张学习外国，所以被叫做"洋务派"。

李鸿章是安徽合肥人，太平天国造反的时候，他在家乡组织了一支"淮军"，跟着曾国藩打仗，立了许多功劳。后来他在上海买了一些洋枪、洋炮，又请了一些洋人当教官，训练他的军队"一二、一二"开步走，怎么放枪放炮。只靠花钱买枪炮不合算，他又请了一个英国佬帮忙，自己办了一个兵工厂，搞得越来越火了，他成为"办洋务"最活跃的代表人物。

办洋务需花很多钱，只靠政府拿

钱不行。他的眼珠一转，想了一个办法，和有钱的商人联合起来一起办。发动各地都来办。这样一来，洋务就遍地开花了，很快就成立了许多新式企业。

造枪炮的有江南制造总局、湖北枪炮厂。

造轮船的有福州船政局。

开矿的有开平矿务局、汉冶萍铁煤厂矿公司、黑龙江漠河金厂、云南铜矿。在台湾也成立了基隆煤矿。

纺纱织布的有上海机器织布局、湖北织布局、兰州机器织呢局。

除了这些新式企业，还在上海开办了一个轮船公司，叫做轮船招商局，在天津成立了天津电报总局。

这些大型新式企业分布在全国各地，加上许多民办工厂和公司，古老的中国一下子就变了一副样子。

陆军的洋枪队训练好了，又成立了几支新式舰队，再和外国打仗就不怕了。

办洋务，真的尝到了甜头。如果接着办下去，没准儿中国真会达到"富国强兵"的目标呢。

想不到旁边跳出一伙人，气急败坏地拼命反对。

他们捶胸口、搒肚皮，一把眼泪、一把鼻涕地哭喊道："反了，反了，祖宗的王法也不要了。学邪恶的西洋，读书人就会中邪，成什么体统！"

他们瞪着眼珠愤怒地骂道："什么洋枪、洋炮、火车、轮船！孔夫子没有讲过的东西，都是骗人的'奇技淫巧'，学了就会亡种亡国。"

这伙老顽固不仅叫喊，还动手干了起来。

为了不让冒着黑烟、轰隆隆的怪物闯进城，破坏了风水，他们咬牙切齿地挥起锄头、镐耙，硬是把上海和北京郊外的两条铁路活生生拆掉了。有的工厂还被当成"异端邪物"，勒令关门。有一个人在北京开了一个机器磨坊，还被抓进监狱判刑。拿他开刀，对洋务派"以儆刁顽"。

洋务派不服输，和他们辩论道："平常没有出事，你们讥讽外国的新东西是'奇技淫巧'，拼命反对，认为不能学。出了事情，你们又说外国的东西太神奇了，根本学不了。现在我们学会了，有什么不好！"

守旧的顽固派和想改革的洋务派斗争得非常激烈，皇帝有什么意见？

那时候，咸丰皇帝已经死了，他的儿子同治皇帝坐上了王位。这个皇帝是一个毛孩子。所有的事情都由慈安太后和慈禧太后一手包办，挂着帘子坐朝听政。虽然慈安太后原来是咸丰皇帝的正宫娘娘，地位比慈禧太后高，却没有什么本领，所有的大权都捏在慈禧太后的手心里，皇帝也要乖乖地听她的话。

慈禧太后是一个野心勃勃的女人。同治皇帝活到19岁死了，为了能够继续掌权，她又扶了一个4岁的光绪皇帝。据说，她送了一碟点心给慈安太后吃，慈安太后吃了就莫名其妙地死了，她终于成为唯一掌权的王朝统治者。

她对洋务派和顽固派都不真心支持，乐得瞧他们互相争斗，这样她才可以稳坐江山。这个阴险的女人，一分钟也没有想过，怎样才能使国家富强起来。

国家算什么？她关心的只是自己的权力。

不平静的边疆

> 美国、日本闹台湾
> 英国、俄国搞西藏
> 左宗棠收复新疆威名扬

多灾多难的中国，像是一张无依无靠的秋海棠叶，飘落在茫茫大海里，任随凶猛的波浪冲来冲去，随时都可能被大海吞没，真危险极了。

第二次鸦片战争过后不久，周围又起了风波。

首先出事的地方是台湾。

美国佬起了坏心眼儿。

他们早就看上了这座美丽的宝岛。英法联军发动战争的时候，美国公使就向他们的政府建议，趁机出兵占领台湾，作为美国在中国大门口的侵略基地。借口几个美国轮船水手被杀了，两次派兵在台湾登陆。多亏当地高山族老百姓把他们赶下海，他们才暂时死了这条心。

美国佬走了，日本人又来了。借口几个遇着风暴漂流到台湾的琉球渔民的死，向清朝政府抗议，气势汹汹地宣布，要派兵抓"凶手"复仇。琉球原来是向中国进贡的一个小国，和日本没有半点关系，它有什么资格"抗议"？清朝政府根本就不理睬它。

想不到日本真的出兵了，杀气腾腾在台湾登陆，想借这个机会占领全岛。眼看当地老百姓打不过他们，清朝政府急忙派了一支军队来增援，才挡住了他们的进攻。英国、美国、法国赶快来劝架，硬让中国赔偿五十万两银子做日本出兵的花费，承认日本给琉球打抱不平是"正义行为"。这样一来，日本暂时占不了台湾，就先侵占琉球，改名叫做冲绳县，也捞了一些好处。

不久，英国又派了一支"探路队"，从缅甸钻进云南来捣乱了。走到一个寨子，开枪打死许多中国老百姓。大家生气了，把几个凶手揍死。英国抓住机会，也气势汹汹向中国问罪，硬逼着清朝政府签订了《烟台条约》，赔款二十万两银子，还有许多不合理的要求。

打死洋人凶手要赔钱，他们打死许多中国人，向谁去讨债呢? 难道中国人的性命不值钱! 真太不公平了。

《烟台条约》有一条，允许英国人到西藏去旅行，做生意。藏在"世界屋脊"深山里的西藏，是一个神秘的地方。英国占了印度，早就妄想把魔爪伸进去了。有了这个条约，就可以大摇大摆往里闯啦。

不久，英国"旅行家"就来了。

他们居然带着军队闯进来，还经过哲孟雄(现在的锡金)，修了一条公路到西藏，占领了西藏一些地方。

这是什么"旅行家"? 西藏地方

政府当然不准他们进来。一个不准进，一个硬要进，双方摆开阵势打了一仗。正当西藏军队和老百姓流着鲜血，奋勇抵抗 英国侵略者的时候，清朝政府却害怕让步了，把支持抵抗的驻藏大臣撤了职，命令西藏军队后退，承认哲孟雄是英国的保护国。敞开大门，把英国人放进了西藏。

英国势力伸进西藏，俄国人急了。因为他们也早就看上了这块地方，想把它划进自己的势力范围。可惜中间隔着万重山，没法派军队来，就派了一些"探险家"、"调查团"，窜到西藏内地，到处测绘地形、勘查矿山、收集各种有用的情报。甚至把十三世达赖喇嘛的经师也收买了，拼命煽动当地人反对清朝中央政府，也反对英国，把俄国当成西藏的大救星，想用这种办法把西藏弄到自己手里。这些"探险家"得意忘形了，露出藏在假面具下面的凶狠面孔，残杀西藏老百姓，和英国佬没有一丁点儿差别。

俄国盯得最紧的是新疆。

那时候，新疆西边有一个叫浩罕的小国，本来年年向中国皇帝进贡，和中国很要好。后来俄国佬来了，占了浩罕许多地方。浩罕首领阿古柏不满意了。俄国人对他说："我占了你的地方，很对不起。你就往东边挤，去中国的地方吧! 中国大得很，随便你占多少都可以。我给你撑腰，放心去吧!"

32

你玩过"抢椅子"的游戏吧？这就是一场国家和国家之间的"抢椅子"。俄国的力气大，挤了浩罕的椅子。浩罕没有办法，只好向中国这边挤了。

论力气，浩罕也没有中国大，怎么朝中国挤呢？

恰巧那时候新疆有些维吾尔族人叛乱，各自占一片地方称王称霸。他们当然不是中央政府的对手，有的就向阿古柏求救。阿古柏正愁没法在新疆插一脚，立刻带兵开进去，几乎占领了整个新疆。成立了一个"哲德沙尔国"，自封为国王。

俄国一看，心里高兴极了。趁着新疆一片混乱，来了个浑水摸鱼，出兵占领了最肥沃的伊犁地区。明明是强盗，它却装做正人君子宣布说："瞧新疆乱成这个样子，真心疼，我帮中国改变了这一片地方，暂时代为保管，以后就还给中国。"

瞧，它说得多么漂亮呀！可是过了不久，它就撕下了假面具，恶狠狠地宣布说俄国出了力气，理当报答，伊犁永远也不还给中国了。于是把伊犁划进它的阿拉木图省，向这里移民，想把伊犁变成自己的殖民地。

日本在台湾闹事，俄国妄想利用阿古柏吞并新疆。清朝政府急得团团转，该怎么办？

慈禧太后最信任的李鸿章说话了。

想不到这个办洋务有些成绩的大臣，竟是一个卖国的软骨头。他说："东南海防和西北新疆都紧张，哪能一个拳头对付两个敌人？新疆丢了没有关系，东边出了事就麻烦了。"主张放弃新疆，先保住海防再说。

这是什么话！简直是彻头彻尾的卖国贼的言论。

镇守西北的陕甘总督左宗棠来了，主张说："西北和东南，两边都不能丢。新疆是蒙古的屏障，再往后就是中原和北京。如果我们退一寸，敌人就要进一尺，坚决不能放弃新疆。"

他说得有道理，朝廷没话可说，只好派他领兵西征，收复被敌人占领的新疆。

左宗棠带领手下大军，祭旗宣誓出征。

他宣布，这一仗是收复祖国河山，谁也不许后退半步，只能奋勇向前。

他宣布，这一仗只打外国侵略者，不许伤害各族老百姓。

这个宣言鼓舞了西征将士的斗志，照亮了天山南北各族老百姓的心。阿古柏得不到当地老百姓的帮助，接连打败仗，逃到南疆沙漠边，被手下人杀死了。左宗棠领兵收复了新疆，把阿古柏的残兵败将全部赶了出去，给祖国立了大功。

俄国人还霸占住伊犁不还，怎么办？

和蛮横的侵略者没有道理可讲，

33

只有拳头才管用。

左宗棠带着棺材朝伊犁进军，不收复这块失地，宁死也不回来。

如果真让他和俄国打一仗，没准就好了。可惜腐败的朝廷害怕他把娄子捅得太大了，命令他带兵回来，派了一个"精通洋务"的满族大臣崇厚去谈判。

崇厚懂什么洋务外交？被俄国佬连威吓带糊弄，私自订了一个条约，答应把伊犁周围的地方割让给俄国，再赔偿白银二百八十万两，换回伊犁一座空城。

消息传回来，朝廷内外都闹了起来，认为他办事太糟糕。再派曾国藩的儿子到俄国去谈判，增加两百多万两银子，把伊犁南边的一块地方要回来，却依旧把霍尔果斯河以西的大片地方割让给俄国。中国还是吃了大亏。

俄国妄想支持阿古柏，侵占整个新疆的计划失败了，这只喂不饱的熊却没有打消侵略的念头。一口吞不了新疆，就慢慢一小口、一小口地撕咬吧！

它逼迫清朝政府接连订了几个不平等条约，吞并了伊犁、塔城、喀什噶尔两边几块地方，加起来有17万多平方公里。

接着，它又侵占了帕米尔高原西北部一大片中国领土。还和英国勾结起来，两个强盗私自瓜分了帕米尔高原萨雷洞勒西边的几万平方公里土地。这实在太不像话了，清朝政府和后来的中国历届政府都坚决不承认。

不承认有什么用？你能对一只闯进果园的野熊说，我不承认你吃了我的苹果吗？

34

莫名其妙的中法战争

> 黑旗军扬威越南
> 冯子材大战镇南关
> 打了胜仗，反把卖国条约签

一波未平，一波又起。这是那时候中国的真实写照。西北的风波刚平息了，西南边境又冒了烽烟。

这一次打来的，是最讲究"博爱、平等、自由"的法国。

文质彬彬的法国绅士，对远方的国家才不讲这些高尚的原则呢!

他们拿着望远镜望呀望，望见东方有一个叫越南的地方，不仅非常富饶，还是通向中国的一块跳板。西方列强红了眼睛，正在世界各地争夺殖民地，法国认为必须把这个地方先抢到手为好，立刻派了一支远征军到那儿去。

他们先把越南砍成两半，占了南边几个省，又开着军舰到越南北方，硬要冲进红河。想顺着这条河，一直闯到中国的云南省。

越南人问他们："你们闯进红河干什么？"

法国军官说："我们来抓海盗。"

越南人说："抓海盗应该到海上去，为什么跑到这里来？"

法国军官说不出道理了，开炮就打，一下子就打进河内城，占了越南北部许多地方。越南人打不赢法国人，就请驻在中越边境的黑旗军来帮忙。

黑旗军原本是太平天国的一支部队。太平天国失败后，跟着首领刘永福退到这儿，自己种田过日子。他们在越南住了很久，和越南人很要好。越南兄弟有危险，立刻开到前线去抵抗法国侵略者。他们好久没有打仗了，一个个摩拳擦掌，要和敌人拼一场。

这是一支什么军队呀！没有像样的军装，打着一面黑旗，上面一个白圆圈儿里写着一个"刘"字。不是越南兵，也不是吃皇粮的中国正规军。法国人瞧不起这支土里土气的军队，大大咧咧走出城以为像赶麻雀似的，放一排枪就能把他们赶跑。

他们做梦也没有想到，这是一群下山的猛虎，天不怕、地不怕。在刘永福带领下冲杀过来，砍瓜切菜似的把法国兵杀死了一大片。捡了一条命的吓得回头就跑。黑旗军紧跟在后面追，一口气就收复了河内。法国人见势不妙，赶紧爬上船一溜烟逃到海上，不敢和黑旗军再碰一下。

按理说，黑旗军帮助越南打了一个大胜仗，越南应该扬眉吐气才行。谁知道越南皇帝和中国的慈禧太后一样，都怕洋鬼子。他害怕法国报仇，

像自己打了败仗似的，可怜巴巴地和法国订一个莫名其妙的条约。心甘情愿让法国"保护"自己，又求法国不要再打它。

法国才不满足呢! 过了几年又打进来，重新占领了河内，要把越南彻底变成它的殖民地。

越南又面临亡国的危险，只好再请黑旗军帮忙。黑旗军把河内团团围住，整整围困了一年多。法国人眼看守不住了，冒险冲出城外，想找一条路逃跑。谁知刘永福早就算好了，埋伏了一支军队在城边，拦住他们大杀一场，把侵略军头子也打死了，又打了一个大胜仗。

法国不甘心，又派了许多军队来复仇。先攻破了越南首都顺化，逼着越南充当它的真正的殖民地，转过身子就来对付中国人。

那时候，越南担心只靠黑旗军对付不了法国佬，还请中国派了一些正规军来帮忙。法国就气势汹汹地把矛头指向他们了。

战斗打响了。

法国远征军司令孤拔中将，带领六千多侵略军，向驻扎在越南北部的黑旗军和清军同时发动进攻。把中国当成敌人，中法战争正式爆发，打了两个回合。

这一次法国做好了准备，来的人多，火力也猛。中国军队吃了亏，丢了许多地方。清朝政府害怕了，派李鸿章和法国订了一个条约，规定中国从越南撤兵，承认法国占领越南，打开边界让法国人随便进来。

谁知，中国军队撤退得慢了一些，法国找到借口又打了起来。

这一回是在中国打。

为了"惩罚"中国，孤拔率领法国远东舰队开到台湾，突然开炮进入基隆港。想占领这个港口，给中国一点颜色看。镇守台湾的刘铭传毫不客气，给了他们迎头一棒，打得法国侵略者连滚带爬退到了海上。

打了胜仗，应该好好教训法国佬一顿才对。腐败无能的清朝政府害怕法国人算账报仇，吓得脸色发白，赶紧求西方列强出面帮助讲和。负责保卫海防的几个地方官怕得罪法国人，不等和谈成功，就答应孤拔带着舰队，开进闽江口，停泊在马尾海军基地"旅游"。一停就是一个多月，把基地内内外外的情况摸得一清二楚。

世界上哪有这样的"旅游者"?

中国军舰到法国海军基地去这样"旅游"，可以吗?

爱国的海军官兵沉不住气了，要求把这些不速之客赶出去，至少也要作好防卫的准备。想不到昏了脑袋的当局却不准他们"乱说乱动"，遇着法国人挑衅也不准先开枪。要不，即使打赢了也要判死刑。

更不幸的事情终于又发生了，法国军舰突然对停泊在一起的中国军舰开炮。六艘军舰来不及拔起船锚就被击沉了。剩下的慌忙应战，拼命抵抗敌人。

福星号连忙砍断锚链，掉转船头冲进敌阵。另外两艘军舰也跟着冲上来。因为准备不够，都被打沉在港内。

扬威号被两艘法国军舰夹在中间打，船身布满了大洞小洞。沉没前的一刹，还射出了最后一发复仇的炮弹。

扬武号快要沉没了，坚守在舰上的水兵，还用尾炮击中了敌军司令乘坐的旗舰。

飞云号加快速度向敌人冲去，左右两边的大炮同时发射，一直打到最后一息。

仅仅半小时，福建水师舰队全军覆没，没有一个逃兵，没有一个水兵投降敌人。这个悲惨事件的责任该由谁来负？这笔血债该向谁讨还？

偷袭马尾港的孤拔不得好死！

他用卑鄙的手段歼灭了福建水师舰队，自以为拔了中国海军的牙齿，可以在台湾海峡里横行霸道。打基隆，占澎湖，又去攻打浙江的镇海港。挨了一炮，终于送了他的狗命。

法国陆军也在越南前线发动了进攻。

怕死鬼广西巡抚还没有看见敌人的影子，就一把火烧掉了谅山，逃回广西境内。法军大摇大摆开进了镇南关(今天的友谊关)，非常猖狂地在关前立了一根柱子，用汉字写着"广西的门户已不再存在了"。当地老百姓十分气愤，也立了一根柱子写着："我们要用法国人的脑袋，重建我们的门户"。

镇南关地势险要，是广西的大门。丢了这个关口，整个广西就暴露在敌人的枪口面前。

广西告急! 谁来保卫这一片锦绣河山？

已经告老还乡的70岁的老将冯子材，担起了保卫广西，抵抗敌人的重任。

冯子材带着满腔怒火的官兵，把法国侵略军赶出了镇南关，立刻利用地形，在关前修了一道石墙，等着敌人来反扑。

敌人果然来了。山谷里炮弹乱飞，掩护着他们冲到石墙前面。冯子材等待的正是这个时候，向官兵们大声喊道："打啊! 如果让法国鬼子进了关，我们有什么脸回去见家乡父老?"

他手持长矛，冒着枪林弹雨，第一个跳过石墙冲了出来。官兵们眼看白发苍苍的主帅这样勇敢，也奋不顾身冲杀出来，和法国兵展开了肉搏战。法国开花大炮不管用了，手里的洋枪也不管用，被打得落花流水。山上的中国炮台也开炮了，把敌人打得大败。中国守军一口气收复了谅山。敌军统帅受了重伤，再也没有还手的能力了。

靠近云南边境的黑旗军和清军，依靠越南老百姓的帮助，也收复了越南北方许多地方。

中国军队打了大胜仗，也该逼着法国鬼子低头投降，订一个让中国人扬眉吐气的条约才好。想不到慈禧太后和李鸿章决定"见好就收"，反而与法国人订了一个吃亏的条约，命令前线将士退回镇南关，违令者斩。

消息传到前方，老将冯子材仰天长叹流泪了，官兵们气得咬牙切齿。拼命冲杀，流血牺牲换来的胜利，就这样被卖国贼们不明不白地葬送了，多可惜！

天哪，这是什么道理！

悲壮的甲午海战

40

左宝贵奋勇保朝鲜
邓世昌驾船撞敌舰
李鸿章无耻出卖了台湾

日本强盗又来了。

这一次，他们依旧沿着丰臣秀吉的老路，踩着朝鲜半岛这块跳板走过来。打算一口吞掉朝鲜，再一步步吞并中国。

为了达到这个目的，他们拼命鼓吹"征韩论"，认为"打朝鲜，是日本富国强兵的国策"。又制定了"征讨清国国策"，把中国东北和台湾都划进它的"利益线"，只要有机会就出兵占领这些地方，保护日本的利益。

机会终于来了。

他们趁朝鲜发生农民起义，邀请中国派兵保护首都汉城之际，突然派兵在朝鲜登陆。闯进王宫，俘虏了朝鲜国王，强迫朝鲜"邀请"日军驱逐中国军队。

一场大战已经不可避免了。打，还是不打，清朝内部争论不休。

这时候，光绪皇帝已经长大了，和一些爱国的大臣坚决主张抵抗。

可是，慈禧太后要过 60 岁的生日，有人担心打仗会扫了她的兴。掌握大权的李鸿章见了洋人就害怕，想求西洋各国出来干涉日本人，千万别打仗。

谁知，西洋各国谁管这档子闲事。李鸿章只好听光绪皇帝的话，硬着头皮派兵去增援，分海陆两路进入朝鲜。

日本怎么会乖乖地等中国把兵运齐了才打？1894年7月25日，他们突然发动进攻，这一年是农历甲午年，所以叫做"甲午战争"。

不宣而战，是日本强盗惯用的手法，吃亏的当然都是对手。

这天早晨，一千多清兵乘着租来的英国轮船高升号，由济远、广乙两艘战舰保护着开到朝鲜去。半路上突然遇着三艘日本军舰，恶狠狠地向我方开炮。中国军舰没有一丁点儿准备，只好慌忙抵抗。

广乙号是一只小军舰，很快就被打沉了。济远号是北洋舰队的主力铁甲快舰，本来可以和敌人狠狠拼一下。想不到舰长方柏谦是一个贪生怕死的家伙，瞧见敌人开炮就吓坏了，竟下令挂起白旗转身就跑。舰上的爱国水兵气坏了，用尾炮打伤了追上来的日本巡洋舰吉野号。还想再打几炮把它揍沉。方柏谦却强迫他们开船快跑，不许和日本军舰纠缠，把装满陆军官兵的高升号和另一艘运输船丢在敌人炮火下面。

高升号的英国船长慌了，对中国官兵说："咱们不是军舰的对手，还是投降吧！"

英勇的中国官兵宁死也不投降，握紧手中的步枪和敌人的军舰对打。这艘孤零零的运兵船变成了活靶子，被四面八方射来的鱼雷和炮弹打得千疮百孔，歪倒沉没在波涛里，全体官兵壮烈牺牲。

这一天，日本陆军也在朝鲜对中国军队突然袭击。带兵驻守前线的叶志超见了鬼子兵就跑，留下聂士成一支小部队，拼命抵抗也挡不住敌人，只好一起退到平壤。

叶志超打了败仗，反而谎报军情，说是自己打赢了。朝廷很高兴，对他传令嘉奖，叫他统领前线部队，将官们听了都不服气。都说这个家伙打仗不行，升官倒有办法。叫他当前线司令官不出娄子才怪。

大家没有猜错。敌人来了，他又要逃跑，爱国将领左宝贵早就看穿了他，派手下新兵监视着这个胆小鬼，免得他一跑，引起军心动摇打不好仗。

左宝贵和别的将官死守平壤，一步也不后退，打死了许多敌人。不幸一颗炮弹飞来，他倒在血泊里牺牲了，敌人终于攻进了城。叶志超吓得连忙竖起白旗投降，晚上趁着暴雨逃出城，一口气跑了五百多里，一直跑过鸭绿江，把整个朝鲜都留给日本侵略者。

日本进攻平壤的第二天，中、日两国的海军舰队在黄海上遭遇了。

41

海军提督丁汝昌端起望远镜仔细一看，只见远远开来一支舰队，桅杆上都飘着美国的星条旗，就没有放在心上。谁知走近了，那些神秘的军舰忽然降下美国国旗，迅速升起日本膏药旗，排成一字进攻阵形，朝中国舰队冲来。

丁汝昌吃了一惊，立刻命令排成人字形。自己乘坐的定远号铁甲舰放在最前面，慌忙摆开阵势迎敌。论舰只多少和火力，并不比日本差。

突然，一件想不到的事情发生了。

日本舰队瞄准了高挂帅旗的定远号，集中火力猛打猛轰。刚一开火，就把丁汝昌站立的舰桥轰断了。丁汝昌受了伤，跌下来，只好咬紧牙关忍着疼痛，坐在甲板上督战。一会儿，舰上的信号设施也被打坏了。丁汝昌没法指挥，整个舰队乱了套，大家只有各打各的，谁也顾不了谁。

受伤的定远号，在丁汝昌和舰长刘步蟾带领下毫无畏惧。照住敌司令官乘坐的旗舰猛打，把它打得歪歪倒倒，差一丁点儿沉没。还有四艘日本军舰也受了重伤。

可是中国舰队的损失更大，有5艘军舰被打沉。

超勇号歪着身子快要沉了，还不停朝敌人开炮，直到海水吞没了甲板上的大炮。

致远号受了重伤，不后退半步，和包围住自己的4艘敌舰对轰对打，最后沉没进海底。

致远号舰长邓世昌瞧见定远号的帅旗被打落了，立刻在自己的船上升起了指挥旗，被恶狼一样的敌舰围着攻打。甲板上到处都是窟窿眼儿，船身歪斜得快要倒在水上。

炮膛打红了，滚烫得没法接近。

炮弹也打完了，水兵们只剩下一双拳头。

邓世昌也受了伤。眼看敌人这样猖狂，却没法揍这些野兽，真急坏了。

他们还有最后一件武器，就是这艘受伤的军舰。

为国捐躯的时刻到了！

邓世昌慷慨激昂地对官兵们说："我们和敌人拼了吧！"全体官兵各自站在自己的岗位上，没有一个人离开，没有一个人反对。

邓世昌走上驾驶台，亲自握着舵轮，开着受伤的致远号，朝敌人最凶狠的吉野号巡洋舰撞去，准备和它来个同归于尽。

近了，更近了，眼看就要接近目标。日本鬼子吃惊了，想不到中国人这样勇敢，连忙用密集火力阻挡。一枚可恶的鱼雷击中了已经受了重伤的致远号，致远号还没有冲到吉野号的面前就沉没了，二百多官兵全部壮烈牺牲。

邓世昌被抛到海里，抓住一个救生圈，在海上漂浮着。他本来可以游走，但是他却没有这样做。

他不能离开沉没的致远号，不能

抛弃在波涛中挣扎的战友们，轻轻推开救生圈，和大家一起沉下了水底。

战斗中，只有济远号舰长方柏谦、广甲号舰长吴敬荣是孬种，一开火就驾船逃跑了，真可耻啊！

受了重大打击的北洋舰队退回威海卫军港。李鸿章认为这支舰队是他一手建立起来的，害怕再打会输光他的老本，命令舰队守在港内保船，不准再出海打仗。结果被敌人堵住港口打，没法动一步的军舰，像活靶子似的，被一艘艘打沉。丁汝昌眼看大势已去。下令炸船，一艘也不留给敌人，自己也自杀殉国了。定远号船长打完炮弹，炸沉军舰，服毒自杀。一些软骨头不敢打，也不愿意炸船自杀，无耻地投降了敌人。

中国海军的主力，北洋舰队就这样被消灭得一干二净。本来还有一笔发展海军的专款，因为慈禧太后要过六十大寿，拿去修颐和园了。海上再也没有一艘中国军舰，日本舰队可以随意运兵。日本人占领了旅顺后，竟把全城老百姓杀光，只留下三十多个人搬运尸体，这和野兽没有一点差别。

腐败的清朝政府只好忍气吞声低头投降。派李鸿章到日本去，订了卖国的《马关条约》，答应了日本许多苛刻的条件，美丽的台湾和澎湖也割让给日本。本来还要割掉辽东半岛，因为"侵犯"了俄国的利益，德国、法国也红了眼，不准日本独自吞掉，才让清朝政府出三千万两白银赎回来。

李鸿章的儿子李经方充当可耻的"割台大臣"，到台湾去执行投降命

43

令。台湾老百姓和一些爱国官兵不答应，在丘逢甲领导下，爆发了声势浩大的抗日斗争。

丘逢甲失败了，从广西调到台湾镇守的黑旗军首领刘永福接着起来干。和当地愤怒的起义群众一起，从海边打到山里，从台北打到台南。最后弹尽粮绝了，只好含着泪水上船退回大陆。

1895 年 10 月 23 日，请记住这个日子，台湾终于沦陷了。

台湾从这一天开始，进入了黑暗漫长的殖民地时代。

列强争夺"借款权"

小知识　甲午战争后，帝国主义再次掀起瓜分中国的狂潮，同时又利用清政府急需对日赔款之机，纷纷向清政府争夺"借款权"，以便从经济上进一步侵略中国。从 1895 年到 1897 年，清政府以海关税为抵押，分三次向沙俄、英、德借款 3 亿两白银。到期偿付本息合计 6 亿两。这不仅使中国人民背上了沉重的负担，也使中国主权进一步沦丧。

光绪

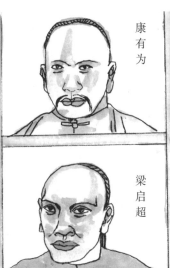
康有为

翁同龢

梁启超

谭嗣同

一百天的改革

洋鬼子想把中国瓜分干净
康有为提出变法维新
可惜改革太短命

甲午战争以后的中国，像是一个切开的大西瓜。东洋、西洋的强盗一窝蜂拥上来，七手八脚抢夺地盘，想把中国瓜分得一干二净。

俄国是趁火打劫的老手，当甲午战争打得正热闹的时候，就扯大嗓门叫喊道：啊哈！这是解决中国问题的大好时光，让我们干脆利落地把中国分了吧！

俄国逼着清朝政府租借了旅顺、大连，擅自改为它的"关东省"，又取得了在东北修铁路、开矿山的许多

权利。最后干脆宣布，长城以北都是它的势力范围。

德国派兵占领青岛，逼着租借了胶州湾，得到在山东修铁路、开矿山的权利。不消说，山东算是它的。

法国租借了广州湾，宣布云南、广西两省和广东的一些地方是它的势力范围，全国邮政也由它代办。

英国强迫租借了整个九龙半岛和威海卫军港，宣布长江流域是它的。

日本占了台湾还不满足，也急忙宣布，海峡对岸的福建也要留给它。

美国正和西班牙争夺菲律宾，打得不可开交，来晚了一步。眼看中国已经被别人瓜分完了，急得直跺脚。眉头一皱，计上心来，连忙笑嘻嘻地装做大好人，不痛不痒地把这些抢了东西的强盗骂了一顿，说他们实在不文明。

接着，它宣布了"文明"的办法，"门户开放，机会均等"。说穿了，就是你的地盘，我都可以钻进来。有好处大家分，别忘了我迟到的山姆大叔。

它这个办法"文明"吗? 只有它自己才知道。

中国快要亡国了。有爱国心的人们都坐不住了，要想办法救中国。

有一个叫康有为的读书人，觉得中国再像从前的老样子不行了，一定要变法改革才有出路。他趁各省考生在北京考试的机会，联络了一千多个人，给皇帝上书请愿，说明自己的主张。请皇帝向全国老百姓检讨，让大家都知道国耻。

把首都搬到西安，别怕洋鬼子威胁。

一分钱也别赔给外国，用来自己练兵打鬼子。

修铁路、造轮船、办工厂、开矿山，再开办银行和邮局，让国家富起来。

设立学校、图书馆，出版报纸，教育老百姓。

允许大家说话，可以批评朝廷，反映老百姓的意见。

这件事，叫做"公车上书"。他们的主张都不错，可惜没法送到皇帝手里。

康有为不泄气，接着又写了两封信，好不容易才送到光绪皇帝的面前。年轻的光绪皇帝也深深感到国家已经在危险关头，自己想振作起来，却被慈禧太后管得紧紧的，想不出好办法。他看了康有为的建议，觉得有了希望，连忙地派他的老师翁同龢去找康有为，商量变法维新的事情。

顽固派气坏了。他们咬牙切齿地咒骂维新派是"洪水猛兽"，叫嚷"祖宗之法不可变"，"宁可亡国，不可变法"。要把维新派千刀万剐，铲除他们散布的"邪说"。

维新派除了康有为，还有梁启超、谭嗣同、严复等许多读书人，和顽固派激烈辩论，认为中国非变革不可。他们举例说，俄国、日本变革了，成为强国。印度、埃及守旧，变成了别人的殖民地，难道中国也要走这条老路吗?

正当双方争吵不休的时候，德国又强占了胶州湾，激起全国老百姓的愤怒。维新派再也不能忍耐了。接连又给光绪皇帝上书。光绪皇帝想和他们坐下来好好商量一下变法维新的事情，顽固派竟仗着慈禧太后的势力，板起面孔，阻挡说:"康有为的官太小了，没有资格见皇帝。"可怜的光绪皇帝连这点权利也没有，只好叹一口气，派五个大臣代表他，去听康有为的意见。

五个大臣里，顽固派占多数。李鸿章虽然搞过洋务，却什么事情都看慈禧太后的脸色，也是顽固派一伙的。他在洋鬼子面前低头弯腰，大气也不敢出一下，现在摆起官架子，就神气活现了。

这哪里是听意见，活生生演了一出"三堂会审"。顽固派大臣一个个铁青着面孔，恶狠狠地质问康有为。

"祖宗留下来的规矩，谁也不能变！你口口声声要变法，到底想干什么？"

"变法从哪儿先下手，你打算把老规矩统统推翻吗？"

康有为不慌不忙，一条又一条把他们反驳倒。多亏翁同龢帮忙，才让大家坐下来，好好听他把意见说完，再一五一十转达给光绪皇帝。

光绪皇帝听了，觉得他的意见真好呀！决定立刻维新变法。这一年是戊戌年，所以叫做"戊戌变法"。

光绪皇帝太性急了，康有为也性急，恨不得一夜之间就变法成功，把中国的毛病统统治好。

短短的一百零三天，兴奋无比的

47

光绪皇帝竟下了两百零五道命令，叫全国都按康有为的办法去干。像是一个急性子的医生，叫病人一口吞掉一瓶药片。希望病人一骨碌就从床上跳起来，成为了不起的大力士。

他们太性急了，许多人的脑筋还没有转过来，怎么会跟着他们一起干呢？

皇帝的命令变成一张张没有人理睬的空纸。天下大大小小的官员有的硬顶，有的软拖，书生气十足的维新派，才斗不过这些老奸巨猾的顽固派呢！

顽固派搬出了慈禧太后，一巴掌就把他们好不容易搞起的维新变法运动粉碎了。维新派想找在天津训练新式军队的袁世凯撑腰，袁世凯却偷偷跑去告密了。把光绪皇帝的秘密命令交给慈禧太后。这个老妖婆立刻动手，收拾还蒙在鼓里的维新派。

她毫不客气，把光绪皇帝关在中南海的瀛台里，不让和外面通气。

赶走光绪皇帝的老师翁同龢。

下令逮捕维新派。

除了新建的京师大学堂可以留着，别的改革措施一律作废。

康有为和梁启超听到风声，赶快逃跑了。

谭嗣同说："世界各国变法，没有不流血的。中国维新变法，我就第一个流血吧！"坐在家里不动，等着官府来抓。和杨锐、林旭、刘光第、康广仁、杨深秀，一起牺牲在北京城

内的菜市口。临死的时候，对围着看热闹的人群说："为了救国，我洒下一腔热血，我们死了，会有更多的人起来，为维新变法而斗争。"人们纪念他们，把他们叫做"戊戌六君子"。

变法失败了，人们却永远忘不了这个短短的"百日维新"。

八国联军打北京

义和团要把洋人杀完
慈禧太后向世界宣战
八国联军无法无天

洋鬼子这样欺负中国人，老百姓实在忍受不住了。

怎么办？拿起刀枪和他们干！

那时候，原本有一些人在街头和乡村场坝上练武艺、锻炼身体，组织成一帮一帮的。有的叫义和拳，有的叫大刀会，各有各的地盘。老百姓盼官府保护自己、反抗洋人落了空，就依靠他们吧！大家纷纷加入这些练武团体，提出"扶清灭洋"的口号。后来改名叫义和团。妇女们瞧见男子汉组织起来了，也拿起刀枪聚在一起，叫做红灯照。

义和团没有好武器，只有大刀长矛，怎么抵挡得住洋鬼子的洋枪洋炮？

他们不害怕。

头儿们告诉他们，入了义和团，把烧成灰的符咒吞下去，就可以刀枪不入。随便你怎么砍，怎么杀，也不会死了。

嗬，这个办法真方便。大家都相信是真的，参加的人越来越多了，见着洋教堂就打。把平时作威作福的高鼻子传教士，一个个打得嘴啃泥。

义和团打洋人，这还了得！

朝廷担心他们会惹祸，下令解散义和团，抓带头闹事的人。想不到义和团越抓越多，从外省一直闹到北京和天津来了。

怎么对付越来越多的义和团？

李鸿章、袁世凯一伙主张坚决镇压，免得洋人找借口又打中国。有人主张利用这些天不怕，地不怕的人对付外国。慈禧太后想来想去，觉得他们有些合自己的胃口。她想废掉不听话的光绪皇帝，另外找一个毛孩子来代替他，洋人却不赞成。干脆让义和团杀光在中国的洋人，给自己出一口气。她也是迷信脑瓜，相信义和团的法术很灵，洋人一定不是对手。

赶走洋人是好事。万一失败了，让洋人杀义和团，没准儿也是好事。

这就是慈禧太后的如意算盘。

义和团闹得越欢了，洋人们大吃一惊。他们做梦也没有想到，中国竟有这样不怕死的人，敢和他们对着干。这是打中国的好机会，又可以趁机狠狠捞一把了。

他们以保护公使馆为理由，立刻派兵到北京，大模大样住下来。

不久，英、美、法、俄、奥、德、意、日八国联军在大沽口登陆，也搭上火车往北京开，想把北京当成他们的兵营。

天津到北京很近，按理说几个小时就可以到了。可是沿途受到义和团和爱国官兵的阻挡，像蜗牛一样慢慢爬了四天，才走了一半，到了廊坊车站。

到了这儿，八国联军再也没法往前走半步了。义和团堵在这里，把他们狠揍了一顿，撤退的路上又一路挨打，费了10天时间，才好不容易逃回天津，喘了一口气。

这伙强盗挨打的时候，北京也打了起来。愤怒的义和团把城内的一座洋教堂和使馆区团团围住，拼命往里攻打。洋人陷入了愤怒的群众紧紧包围的"孤岛"，吓得不知道该怎么办才好。

慈禧太后开心了，这些打着"扶清灭洋"口号的义和团给她出了一口气，她立刻下令官兵也参加攻打，可是却叫义和团打头阵，官兵躲在后

义和团团民

51

面。打赢了，大家都有功劳。打输了，把责任推给义和团，再和洋人讲和也不晚。

慈禧太后这个老妖婆忽然冲动起来，甚至宣布要向全世界宣战，以证明她不是好惹的。连光绪皇帝也觉得实在太不像话，这道荒唐透顶的命令才没有传出去。

义和团打着光膀子、念着咒，抡起大刀长矛，像潮水一样向敌人扑去。可是符咒挡不住无情的子弹，落

后的武器比不过洋枪洋炮，打了20多天也冲不进教堂和使馆的围墙，不知牺牲了多少人。

慈禧太后一看，义和团这着不灵，害怕洋人找自己算账，心里慌了。连忙又下一道命令，叫官兵对洋人的地盘明攻暗保，千万别和义和团伙在一起瞎胡闹。又悄悄派人给洋人送吃的，安慰他们别害怕，表示朝廷一定会很好处理这件事情。

消息传出去，洋人不客气了，他

们正好借这件事大做文章。八国联军调来许多援兵，在大沽口登陆，准备打到北京，狠狠敲诈中国一大笔银子。

打北京，先要过天津这一关。义和团和爱国将领聂士成镇守在这里，和敌人打了差不多有一个月。

义和团头领曹福田和张德成，带领不怕死的伙伴们经过一次次恶战，收复了交通枢纽老龙头火车站，猛攻紫竹林外国租界。又大摆"火牛阵"，冲破敌人的地雷阵，把洋鬼子杀得人仰马翻。

直隶提督聂士成也很勇敢，打退敌人许多次进攻。最后死守八里台，他连换四匹战马，都被敌人的炮火打翻，自己也受了重伤，流血牺牲在子弹横飞的战场上。

可恨的是朝廷派来一个叫宋庆的家伙督战。他竟不打敌人，先从背后打义和团，像汉奸一样帮了敌人的忙，天津终于沦陷了。

下一个目标是北京。只有义和团和少数有良心的官兵抵挡敌人，前线、后方一片混乱，哪里挡得住手拿杀人武器的八国联军？北京也被攻破了。慈禧太后带着光绪皇帝，趁着混乱慌里慌张逃出京城，把京城留给敌人。

八国联军进城，干了些什么？

杀！

这些野兽见人就杀，仅在庄王府一处，就杀死了一千七百多人。到处

尸骨堆山，美丽的北京浸泡在血泊里。

烧！

他们拿着火把，到处烧房子。瞧着哪儿不顺眼，就烧哪儿的房子。日本兵从户部大院抢了三百万两银子，为了掩盖罪行，也一把火把房子烧了。

抢！

他们本来就是贪婪的强盗，进了城宣布抢劫三天，见什么，抢什么。当兵的抢，当官的抢。代表国家办外交，最讲礼貌的外交官也抢。就连自称是上帝的仆人，满嘴仁义道德的传教士，也红了眼睛，挽起袖子抢东西。他们抢了皇宫和颐和园的珍宝还不够，又把翰林院、钦天监里的许多珍贵的文物、图书抢走，甚至把一些古代天文仪器也运回了欧洲。

奸！

这帮无耻的衣冠禽兽丧尽了天良。把抓来的妇女，不管老太婆，还是小姑娘，统统带回兵营强奸，连野兽还不如。

八国联军这样胡作非为，连他们的头目瓦德西也不得不承认，他们"强奸妇女，残忍作为，随意杀人，无端放火为数实属不少"。

在穷凶极恶的八国联军面前，像狗一样夹着尾巴逃跑的慈禧太后，不但不敢抵抗，也不承认自己的错误，反而咬牙切齿咒骂是义和团惹的祸。

洋鬼子要杀义和团，她派李鸿章

52

也去一起打，下令一定要斩草除根。杀自己的老百姓，比洋鬼子还起劲。轰轰烈烈的义和团运动，就这样被扑灭了。

接着，她又派李鸿章去求和。除了参加出兵的八个强盗，站在旁边的荷兰、比利时、西班牙看得眼红，也要参加进来，叫清朝政府给它们"赔偿"。李鸿章不敢讨价还价，乖乖地签订了可耻的《辛丑和约》。不提这些强盗杀了多少中国人，抢了多少中国的财宝，反而向他们赔偿四亿五千万两银子。

这还没有完。

还把北京东交民巷划为使馆区，外国可以驻兵，不准中国人在这里住。把这里变成"国中之国"，侵略中国的阴谋中心。

拆掉保卫天津海上大门的大沽炮台，周围不准驻扎中国军队。从北京到山海关，所有重要的地方都由外国兵把守。

永远禁止义和团活动。谁帮助过义和团，都要重重惩罚。

外国强盗的刺刀架在中国的脖子上，中国已经被逼到悬崖边上，再也没有半步退路了。

"黄俄罗斯"计划

俄国佬把中国人赶下黑龙江
又把东北的大城市都占光
要实现殖民地的梦想

八国联军里，有一只从北方窜来的野心狼。

这就是俄国。

俄国强盗是趁火打劫的老手。这一次，除了伙同别的强盗，在大沽口、天津、北京乱杀乱抢，留下累累血债之外，还想趁着一片混乱，多捞一点好处。

和别的西洋、东洋强盗不同，俄国和中国是土地连着土地，紧挨着的邻居，一抬腿就可跨过来了。从前它就仗着这个方便的条件，连骗带抢一步步往里挤，从古老的中国身上割掉一块块肥肉，比别的小强盗抢的中国土地加起来还大许多倍。贪婪的沙皇，早就做着在东方建立"黄俄罗斯"的美梦。八国联军打中国，正是实现这个梦的好机会呀！天上掉下来一个大馅饼，怎么会轻轻放过?

这一次，俄国沙皇得意洋洋地亲自出马，挂牌当总司令。瞅着八国联军在北京闹得正欢的时候，下了侵占中国东北的总动员令。野心勃勃要把中国东北一口吞掉，实现他的"黄俄罗斯"计划。

头一个开刀的地方，是黑龙江北岸的海兰泡。

海兰泡原本是中国的地方。公元1858年，俄国趁着英法联军攻打中国，强迫清朝政府签订了《瑷珲条约》，把这里和黑龙江以北的一大片地方都抢走了。海兰泡被改名为布拉戈维申斯克，就是"报喜城"的意思。可是这儿和黑龙江以北别的地方一样，住在当地的大多数都是中国老百姓。不管地方改成什么外国洋名字，也抹杀不了他们世世代代住在这里的铁的历史事实。

海兰泡对岸是中国的边防重镇瑷珲，俄国鬼子决定先从这里动手，给中国人一点颜色看。

这时候，情况已经有些不妙了。许多中国人眼看大难就要临头，纷纷坐船过江，逃到中国去。可恶的俄国鬼子连这也不允许，存心要制造麻烦。

正当中国老百姓逃难过江的时候，俄国鬼子突然派兵封锁了渡口，不准一只船再划过去。他们想把中国人留在这里吗?

才不是呢?

他们把城里城外的中国人，不分男女老幼，统统抓起来。押到江边的河滩上，用刺刀硬逼着中国人过河。走得慢的，就开枪打、用斧头砍，杀死了许多中国人。

没有船，怎么过河?

俄国鬼子才不管呢?不管中国人

1860 年北京城郭之一角

会不会游泳，统统往江里赶。被推下水淹死的，在河滩上被打死的不计其数，只有八十多个人含着眼泪游过河逃了出来。

第二个流血的惨案，发生在江东六十四屯。

这里虽然在黑龙江对岸，根据《瑷珲条约》，却依旧是中国的领土。蛮横的俄国鬼子冲进这些村庄，见人就杀。杀不及了，干脆把抓来的中国人关进一座大房子，放火统统烧死。

他们厚着脸皮宣布，这些地方都是俄国的了。中国人想活命，就赶快过河去。

海兰泡的一幕悲剧又重演了，河里淹死和河边被杀死的中国人不计其数。这场灭绝人性的大屠杀中，俄国强盗杀害了七千多人，又留下了一笔罪恶的血债。

他们的下一个目标，是中国的整个东北三省。

要打过来，还找不到借口吗？

他们写信给清朝的黑龙江将军寿山说："现在义和团闹得很厉害，我们要派兵保护中东铁路。请你让开，我们才好开进来。"

寿山不吃这一套，连忙派兵守好交通要道，不放俄国军队进来，打退敌人一次次进攻。可是由于敌人分几路进攻，来势凶猛，虽然各地清军和义和团奋勇抵抗，也没法挡住他们，俄军终于占领了齐齐哈尔。寿山不肯逃跑，在衙门里自杀了。清军没有统帅，更加抵挡不住。俄国军队很快又占了吉林、奉天（今天的沈阳）、营口等一连串大小城市，控制了整个东北三省。

这是一伙没有人性的强盗。

他们一路烧杀奸淫，把许多城镇和村庄都烧成了一片平地。

在黑龙江边的黑河屯，他们把这座繁华的边防重镇一把火烧光，三万多居民被杀了一大半。

在瑷珲，一把火烧了好几天。被烧死的，就有几千人。

在哈尔滨。这群恶魔经过的地方，所有的村庄全部被烧光，所有的老百姓，不分老少全部被杀光。

在海城，在珲春，在三姓（今天的依兰）和别的许多地方，他们留下了一笔笔血债。这哪里像他们所说的，是来保护铁路安全的呢？

中国人愤怒了！

老百姓纷纷组织起来。组成义和团和忠义军，提出"御俄寇，复国土"的口号，到处燃烧着复仇的火焰，打得俄国鬼子晕头转向。许多爱国清军也奋勇抵抗，叫俄国鬼子知道中国不是好欺侮的。

俄国侵略军渡过黑龙江，进攻江边的瑷珲城。守城的清军和义和团，在副都统凤翔带领下，和敌人展开了激烈的巷战。所有的官兵全部悲壮战死。凤翔三次受伤从马背上跌下来，最后为国壮烈捐躯。参加义和团的老百姓也是好样的，和敌人一座房子、一座房子地拼命争夺。有的干脆一把火烧掉自己的家，和闯进家门的敌人一起烧死在熊熊烈火里。

附近卡伦山也打得非常激烈，死守阵地的清军多半都牺牲了。一个受了重伤的炮手，眼看一个俄国军官骑马闯进阵地，后面跟着许多哇哇乱叫的俄国兵。他咬着牙，点燃了火药箱，轰的一声，和敌人同归于尽了。

俄国鬼子攻打辽东半岛的海城的时候，义和团和清军并肩作战。不管男人、女人、老人和孩子，都拿起大刀、长矛和敌人肉搏拼杀。前面的倒下去，后面的又冲上来，打得敌人心惊胆战，表现出中华儿女惊天地、泣鬼神的爱国精神。

俄国鬼子借口"保护中东铁路"，占领了东北三省的主要城市和交通干线，就撕下假面具了。逼迫被俘虏的清朝盛京将军增琪，签订了《奉天交地暂且章程》。

中国的神圣领土，凭什么要交给他们？

这个背着清朝政府写的"交地章程"，是想在东北建立一个汉奸傀儡政权，把中国的东北三省变成俄国沙皇统治的"黄俄罗斯"。

他们的如意算盘还不止吞掉东北呢！还要把蒙古和新疆也划为俄国的"势力范围"。他们厚着脸皮说，俄国在中国东北出兵，死了许多人，不把这些地方划成它的"势力范围"，他们"吃亏"太大了。

呸！谁教你们攻打中国来着？

他们杀了无数中国老百姓，烧了许多房子，抢了许多东西，中国应该找谁赔偿？

俄国的野心太大了，日本和英国觉得它抢得太多，对自己不利。加上愤怒的中国老百姓狠狠揍他们，才不得不答应从东北撤退，暂时把占领的地方还给中国。

过了不久，又发生了一件更加不讲理的事情。日本和俄国为了抢中国的东北，竟在这里打了起来，爆发了日俄战争。结果俄国打输了，日本代替了它，把中国东北三省当成自己的"势力范围"。

两个强盗争夺赃物，居然在别人家里打了起来，实在太欺侮中国了。中国人啊，该怎么办才好？

这一章讲的是什么故事

革命伟人孙中山反对封建,不怕困难。武昌起义传好音,一下子推翻了清王朝。

谁知钻出一个袁世凯篡夺了政权,当上了总统还不够,签订二十一条,过了几天皇帝瘾。

还有一个辫子将军,拖出末代皇帝磕响头,叫人看了真恶心。

北洋政府真狗熊,参战胜利,还要出卖山东。爱国学生站起来,五月四日大游行。痛打卖国贼,欢迎"德先生"和"赛先生"。

十月革命一声炮响,给中国送来了新思想。天空终于出太阳,成立了中国共产党。

孙中山找到了好朋友,革命道路一起走。打倒列强,除军阀,谁能打得过北伐军?

想不到蒋介石叛变革命,篡了权不说,还杀共产党。多少烈士倒在血泊里,大革命失败太可惜。

八一南昌起义，点燃了革命的火炬。革命者有了枪杆子，再也不怕敌人动武力。

毛泽东领着队伍，走上高高的井冈山，扎下农村根据地。点燃的星星之火，一定会燃遍全中国。

"九·一八"，真伤心，东北来了日本兵。蒋介石下令不抵抗，葬送了辽宁、吉林、黑龙江。

日本是一只野心狼，占了东北还不够，还想打过长城，把中国变成它的练兵场。全国老百姓气不过，蒋介石还是不抵抗。

他不打日本，专门打红军，不知安的是什么心？红军二万五千里长征，开到陕北抗日最前线。气死蒋介石，再也没有"围剿"的本领。你不抵抗，我抵抗，只有红军才能救中国，抵抗可恨的小日本。

孙中山和辛亥革命

他是一个好医生
他是宣传革命的带头人
武昌起义，推翻了清王朝

戊戌变法失败了。

义和团想赶走洋人也失败了。

还有挽救病入膏肓的中国的办法吗？

有的！有一个人在黑暗中摸索着，找到一条新的出路。

这个人出生在广东省香山县（今天的中山市）翠亨村，名叫孙文，又叫孙逸仙。后来在日本进行革命活动，曾经化名中山樵。所以人们都习惯叫他孙中山。

孙中山从小就喜欢动脑筋，特别爱听太平天国的故事。许多亲眼看见的事情，听到的消息，使他非常气愤。小小的心灵里，早就埋下了反抗的种子。

12岁的时候，他跟妈妈到美国檀香山去，住在哥哥家里，在当地学校读书，回国后又在广州和香港学医，受了一些西方文化的影响，民主思想渐渐在他的脑子里形成了。

学了医，他做了医生。他的医术很好，心也很好，是一个人人欢迎的好医生。可是他关心的是国家大事，医好病人不是他的最终目的，他日日夜夜心里想的，是怎样才能医好自己的国家。

为了达到这个目的，他不得不抛下了心爱的听诊器，回到檀香山去宣传反清革命的思想。

这个腐败的朝廷非推翻不可！决不能像维新派那样，搞什么保留皇帝的慢吞吞的改革。

革命要讲方法，要科学、要民主，也不能像义和团那样蛮干一通。

他和20多个爱国华侨仔细商量，决定成立一个革命团体兴中会。提出了"驱除鞑虏，恢复中华，创立合众政府"的主张。要达到这个目的，必须发动武装起义才行。

这一年爆发了甲午战争，日本在威海打败了中国的北洋舰队，又占领了旅顺、大连，全国老百姓非常气愤。孙中山认为这正是发动起义的好机会，立刻回国准备在广州起义。不料走漏了消息，许多人被逮捕了，陆皓东等一批参加起义活动的人光荣牺牲。孙中山逃到日本，又到美国和英国去宣传，发动更多的华侨参加革命活动，并且考察西方社会的情形。

不料他在伦敦被清朝驻英国公使骗去，关在使馆里，打算装进木箱运回中国杀害。多亏他的英国老师康德黎想了许多办法，才把他救出来。

八国联军打进中国，老百姓更加气愤。孙中山认为这又是一次发动起义的好机会，不怕危险再悄悄回国，

62

准备在惠州起义。这一次起义又失败了。但是却播下了反清革命的种子，同情革命的人越来越多了。其中有许多人是在外国读书的留学生和爱国华侨，他们接受了西方文化思想，觉得中国一定要彻底变一个样子才行。纷纷回国在各地组织革命团体，宣传自己的主张。其中，蔡元培和从日本回国的章炳麟等人，在上海成立的光复会，从日本回来的黄兴和陈天华、宋教仁、章士钊等人，在湖南成立的华兴会最有名。

为了唤起民众，丢掉对清王朝的幻想，他们不仅揭露封建王朝的腐败黑暗，也狠狠批判了康有为为首的保皇党和歌颂光绪皇帝的"圣德"以及"只可立宪，不能革命"的谬论。

国家是大家的，必须老百姓自己做主，还留一个泥菩萨一样的皇帝做什么？

昏头昏脑的清王朝，只知道欺压老百姓。见着洋人就吓软了，不知打了多少败仗，订了多少卖国条约，割了多少地，赔了多少款，还留下它有什么用？

清王朝强迫大家留一根猪尾巴似的长辫子，多难看！也该"卡嚓"一下剪掉，别留着给别人看笑话呀！

邹容只有18岁，写了一本《革命军》自称是"革命军中马前卒"，热情号召大家起来推翻腐朽的清王朝。

陈天华是一个20多岁的爱国青

年，写了《猛回头》和《警世钟》两本小册子，用说唱的方式宣传反清、反对帝国主义的道理。

章炳麟把康有为、梁启超的保皇嘴脸揭露得淋漓尽致，叫大家别对封建王朝有一丁点儿幻想，只有彻底推翻它才有出路。

朝廷对他们恨透了，把他们一个个抓进监牢。年纪小的邹容受不了残酷的折磨，病死在上海租界的英国巡捕房里了。

华兴会准备在长沙暴动，起义失败了，也牺牲了许多人，带头的黄兴只好逃到了日本。

孙中山从欧洲到日本，认识了黄兴，两个人很高兴，觉得各搞各的不行，必须联合起来才有更大的力量。就把兴中会、华兴会以及光复会等许多革命团体合并在一起，成立了中国同盟会。孙中山提出 16 个字，作为革命纲领。

63

驱除鞑虏，恢复中华，创立民国，平均地权。

后来他把这16个字的意思总结成"民族主义，民权主义，民生主义"。用"三民主义"几个字，十分醒目地表达了他的政治主张。

接着，他和大家到处宣传鼓动，使同盟会越来越壮大，还在国内接连发动了几次武装起义。

孙中山和黄兴亲自领导了镇南关起义，和清兵狠狠打了一仗。

黄兴领导了广州起义，带领方声洞、林觉民、朱执信等100多名同盟会员，大胆冲进两广总督府。喻培伦身上挂满炸弹，带领另一帮人从后门冲进来，吓得平时作威作福的总督翻墙逃跑，大长了革命党人的志气。

广州起义失败，牺牲的烈士里，有许多是从海外赶回来参加革命的爱国华侨青年，把一腔热血洒在祖国的土地上。其中有72位葬在白云山下的红花岗，后来这个地方改名叫黄花岗。"黄花岗七十二烈士"的英名，永远留在人们的心上。

广大老百姓也行动起来了。许多地方农民反抗苛捐杂税，社会民众要求从洋人手里收回开矿、修铁路的权利，也闹得极有声势。

四川的保路运动闹得最凶，朝廷着急了，连忙从湖北调军队去镇压。四川总督赵尔丰逮捕了保路同志会的几个领导人，又开枪打死许多老百姓，激起群众愤怒。干脆拿起武器组织起来，从全省各地纷纷赶到成都，攻打这个刽子手盘踞的顽固堡垒。同盟会员吴玉章、王天杰在荣县首先宣布独立，不再听朝廷管。这个办法真好! 其他州县也照着干，四川的革命活动越闹越欢，弄得清兵清将焦头烂额。

这时候，同盟会早在紧挨着四川的湖北省做好了武装起义的准备工作。这一次，他们发动了士兵。驻守武汉的新军，差不多有一半都和他们有联系。四川保路运动闹得欢，正是起义的好时机。

最初他们把起义定在中秋节，因为来不及准备，推迟了几天。不料10月9日中午，同盟会员孙武在汉口俄租界一幢小楼里装炸药，轰地一声爆炸了。俄国巡捕赶来，搜出了起义计划和名单。接着，起义总指挥部又被敌人破获了。革命党人再不动手，就只有挨打的份了。

10月10日傍晚，驻守在武昌的新军工程第八营里，首先响起了起义的枪声。其他各营纷纷响应，一起攻打总督衙门。平时作威作福的清朝总督，慌里慌张像狗一样，从后墙打洞爬出去逃跑了。起义的士兵一夜之间就占领了武昌，接着又占领了汉阳的汉口。

赶走了清王朝的总督，起义的革命军总该选一个自己的头领才行。他们兴致勃勃地成立了革命军政府，却一时找不到合适的领导人。

按理说，孙中山最合适。可是这时候他正在国外，来不及赶回来领导革命。别的革命党领导人也不在，怎么办呢？

大家想来想去，觉得找一个有名气、有地位的人带头才行，错误地推选了一个新军首领黎元洪当新成立的湖北军政府总督。黎元洪吓坏了，说什么也不敢答应，害怕"造反"会被砍头。后来瞧见革命党的势力大了，才装作很革命的样子，点头答应了。在革命阵营里埋下了一颗不革命的种子。

武昌起义的消息迅速传遍全国，各地纷纷响应，短短一个月里，就有十多个省宣布独立，脱离清朝的统治。

腐败透顶的清王朝终于垮台了。

这一年是辛亥年，所以叫做"辛亥革命"。

不久孙中山从国外赶回来，大家一致拥护他当新成立的中华民国临时大总统，黎元洪当副总统。1912 年 1 月 1 日，他在南京宣誓就职，宣布这一年是民国元年，再也不用以前的帝王的年号了，大家喜气洋洋。可是在临时政府里混入了许多旧官僚和投机分子，这个中华民国可靠吗？

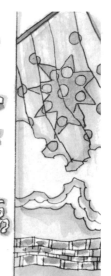

袁世凯的皇帝梦

> 一个野心家，拼命往上爬
> 抓了兵权，还要称孤道寡
> 真该千刀万剐

武昌起义成功了，清王朝怎么办？

刚上台不久的宣统皇帝是一个毛孩子，什么事情都由摄政王载沣代办。载沣慌了，连忙派一个满洲贵族，带领新式训练的北洋兵去镇压。这支军队是清王朝的最后一张王牌，如果再不灵，就没有办法了。

谁知，这些北洋兵是军阀头子袁世凯一手操练出来的。袁世凯靠出卖戊戌维新和镇压义和团爬了上来，又练了这支军队，权力越来越大。载沣对他不放心，找一个借口把他赶回老家去趁风凉。北洋兵不听载沣派来的满洲贵族的指挥，磨磨蹭蹭不肯好好打仗。

帝国主义担心革命对他们没有好处，就鼓吹只有袁世凯才能挽救眼前的形势。载沣没有办法，只好再请袁世凯出山，当湖广总督，到前线去打仗。

现在轮着袁世凯摆架子了。他说："我的脚疼，恐怕没法挑起这个重担子呀！"

载沣要抓住这根救命稻草，只好派人低声下气去和他讲价。袁世凯说："要让我管全国的军队，改组内阁。要不，我就不干。"载沣只好答应，派他做钦差大臣，掌管全国的兵权。

袁世凯才不是吃素的呢！

他逼着载沣解散了由清一色的贵族组成的皇家内队，由自己当内阁总理大臣。再一脚把载沣也踢开，自己掌握了所有的大权，这才开始行动。

这只狡猾的狐狸，还想把所有的果子都一口吞下去。仗着手中的武力，对南方的革命党人玩起了边打边拉的游戏。

他一面命令手下的北洋兵攻占了汉口、汉阳，隔着江炮轰武昌城内的都督府，吓得黎元洪慌里慌张逃走。一面又请英国公使出面，提出南北议和的建议，双方在上海开始谈判。

谈判的时候，英、美、法、德、俄、日六国驻上海的领事一起出面，威胁南方革命党必须接受和平建议。要不，他们就要出兵干涉了。

有的革命党人动摇了，把希望寄托在袁世凯身上，混在革命党内的投机分子趁机大叫大嚷，要拥护袁世凯

当总统，赶走孙中山。孙中山没有办法，只好说："如果满清皇帝退了位，袁世凯真心赞成共和，我就辞职，请大家选他当大总统。"

袁世凯要听的就是这句话。

他立刻掉转身子，板着面孔逼宣统皇帝退位。答应这个末代皇帝保留皇帝的称号，还住在皇宫 每年领 400 万元过日子。照管小皇帝的太后眼看大势已去，只好低头答应了。

1912 年 2 月 12 日，末代小皇帝宣布退位了。

这一天，统治中国 268 年的清朝完蛋了，两千多年的封建帝王统治的制度也跟着结束。大家都很高兴，以为从此就可以过没有专制皇帝管着的自由自在的日子了。

天真的人们高兴得太早了，做梦也没有想到，这个现在满口念着"共和"、逼着清朝末代皇帝退位的袁世凯，自己心里就想做皇帝呢！只不过时机还不成熟，眼前还不能说出真心话。

袁世凯干了这件事，就伸手要当大总统。孙中山只好辞职，把总统的宝座让给他。可是，孙中山对这个野家很不放心，提出三个条件要他答应。

临时政府必须设在南京；
新总统必须到南京宣誓上任；
新总统必须遵守临时政府定的约法。

南京是革命党人的大本营，袁世

67

凯的老家在北方，他怎么会愿意呢？这个狡猾的老狐狸假装答应了，悄悄叫自己的部下在北京闹事，皱着眉头说："北京闹得很厉害，我不能离开啊！"逼着革命党人再让步，把临时政府搬到北京去，成为他的手心里的玩具。孙中山辛辛苦苦领导的辛亥革命得到的胜利果实，就这样被这个可恶的野心家抢走了。

现在临时政府是他的了，他想怎么干就怎么干。越看革命党人越不顺眼，先暗杀了反对他的宋教仁，又要把南方的几个都督撤职，露出了独裁狰狞的面目。

孙中山再也不能忍受，联合一些革命党人，在南方各省宣布独立，发动打倒袁世凯的二次革命。可惜他们准备得不够，打不过袁世凯，不到两个月就失败了。孙中山只好又逃亡到国外，袁世凯把手一直伸到了南方，他更加得意了。

现在再也没有谁能阻挡他，干脆宣布临时政府原来的约法作废，自己再订一个，规定总统可以当一辈子。以后谁来继承这个位子，由总统指定，传给儿子，孙子也可以。这样一来，就和做皇帝差不多了。

这时候，第一次世界大战爆发了。日本借口对德宣战，派兵强占了德国租借的青岛和胶济铁路沿途的地方，抢占了中国的山东省。

日本帝国主义觉得还不满足，干脆提出二十一条，要袁世凯签字答应。

第一条，承认日本继承德国在山东的特殊权利。

第二条，承认日本在东北南部、蒙古东部有特殊权利。可以租借土地，修铁路，挖矿。

第三条，长江中游，最重要的生产钢炼铁的汉冶萍公司改为中日合办，附近的矿山不准让给别的国家。

第四条，中国沿海的港湾，海岛，除了日本，不准让给别的国家。

第五条，中国必须请日本人当政治、经济、军事顾问，警察和兵工厂

必须和日本合办。

够了，把二十一条都写完，看着会把肚皮气破。这明明是亡国条约，怎么能答应呢？

日本气势汹汹，看出袁世凯的心思，一面威吓他，一面许诺，只要他签字，就支持他当皇帝，限他48小时内必须答复。

袁世凯慌了，除了第五条还要商量，其他统统答应下来，甘心情愿做日本帝国主义的走狗。消息传出来，全国老百姓都气坏了，到处游行示威，砸烂日本商店。和日本谈判的外交总长陆宗舆和次长曹汝霖，变成过街老鼠，人人喊打，愤怒的老百姓要求处死这两个卖国贼。由于全国老百姓激烈反对，日本的二十一条才没有兑现。

可是，袁世凯并没有消除想当皇帝的野心。他瞧见有外国支持，放开胆子大干起来，他一面让几个从美国、日本来的洋人吹鼓手，写文章胡说什么"中国人的智能低劣"，不能搞民主，应该恢复君主制，一面又让手下人和一些无耻政客组织"筹安会"和"请愿团"，要求他出来当皇帝。这个野心家扭扭捏捏 装了一下推让的样了，最后终于接受"推戴"，披了黄袍，当起皇帝了。

他宣布，取消民国年号，把1916年改为"中华帝国洪宪元年"，大封文武百官，想建立一个袁记新王朝。

袁世凯这样干，激起了全国的公

辛亥革命的功绩和教训

小知识

辛亥革命是中国近代历史上一次伟大的反帝反封建的资产阶级民主革命。它推翻了清朝的封建反动统治，结束了2000多年的君主专制政体，建立了资产阶级共和国。它使人民获得了一些民主和自由的权利，从此，民主共和的观念深入人心。辛亥革命也打击了帝国主义在中国的殖民统治，为中国民族资本主义的发展创造了条件。

但是，由于资产阶级的软弱性和妥协性，辛亥革命没有完成反帝反封建的历史任务，中国半封建半殖民地的性质也没有得到改变。

愤。

流亡在日本的孙中山立刻发表了《讨袁宣言》，号召发动革命，打倒这个野心家。

原来拥护他的梁启超，也看清了他的真面目，写文章反对他。

住在北京的云南爱国将领蔡锷，躲过了袁世凯的监视，悄悄逃回昆明。和云南都督唐继尧联合起来，宣布云南独立，组织护国军，起兵讨伐袁世凯。

护国军从云南北伐，接连打胜仗。许多地方也纷纷响应，宣布独立，参加反对袁世凯的斗争。连他手下的一些北洋将领眼看大势不好，也不愿再跟他一道走。袁世凯这才明白想当皇帝是不行的，只好宣布下台。做了几个月的皇帝梦，在万民唾骂声中，恼羞成病，结束了他的狗命。

袁世凯　　　　　　　　　　　　　　张　勋

辫子兵复辟

张勋拖出垮台的皇帝
演了一场丑剧
引起全国同声抗议

　　袁世凯像一条癞皮狗一样死了，中国就可以重新实行共和，从此平静了吗？

　　不，袁世凯死了，又冒出许多"小袁世凯"。各自投靠一个外国主子，霸占一块地盘，展开了军阀混战。

　　袁世凯留下的北洋军阀集团，分裂成三个小集团。

　　安徽军阀段祺瑞，依靠日本刺刀的支持，占了安徽、山东、陕西、浙江、福建，叫做"皖系"。还把持了北京政府，段祺瑞当上了国务总理，兼陆军部长，自以为是袁世凯的继承人，没有把刚上台的总统黎元洪看在眼里。也想像袁世凯一样独霸中国，做大独裁者。

　　直隶军阀冯国璋找英国、美国做靠山，占了直隶（今天的河北省）、江苏、江西、湖北，叫做"直系"。他不吃段祺瑞那一套，存心和他过不去，要争"龙头老大"的地位。

除了直系、皖系这两个集团，还有投靠日本占据东北的张作霖奉系军阀和云南、广西、山西等许多地方军阀，谁也不服谁，把中国弄得四分五裂。

段祺瑞凭着枪杆子和日本的支持，强迫黎元洪解散国会。黎元洪有美国做靠山，就撤了段祺瑞的职，把北京政府闹得乌烟瘴气。段祺瑞有兵，黎元洪没有兵，是一个光杆大总统，怎么斗得过气势汹汹的段祺瑞？他连忙打电报，请徐州军阀张勋来帮忙。

张勋这个家伙，也是袁世凯手下的喽啰，当过慈禧太后的跟班，满脑袋封建保皇思想，清王朝被推翻了，他还留着猪尾巴辫子，也不许部下官兵剪掉辫子，表示对清王朝的忠心，人们叫他"辫帅"，被撇在徐州这个角落里，谁也不搭理他。现在黎元洪请他出山，自以为恢复清朝的机会到了。

他对黎元洪说："你老人家看得起我姓张的，我一定给您出力。"

转过身子又对段祺瑞说："只要你同意'宣统皇帝'再上台，解散国

会，赶走黎元洪这个混蛋的事情，都包在我身上。"

说完这些话，他就带着他的五千"辫子军"，得意洋洋开进北京了。

进了城他就露出了保皇的真面孔，接连给黎元洪发出最后通牒。

立刻解散国会!

赶快滚下台! 不要什么大总统。

他自己穿起了马褂官服，戴着红顶花翎，到皇宫里去向被赶下台的"宣统皇帝"溥仪请安，请求他重新登基恢复清朝。

藏在北京城里的保皇党们可高兴啦! 认为来了大救星，纷纷把压在箱子底下的清朝官服翻出来。剪掉辫子的，立刻在后脑勺上安一根假辫子，得意忘形得像过节一样。其中，康有为最积极，乐呵呵地上窜下跳，帮着溥仪写文件和命令，和张勋是一文一武两只最卖力的保皇狗。

他们选的黄道吉日到了。张勋、康有为带头，领着一大帮穿戴着唱戏似的"朝服翎帽"的保皇党，趴在地上磕了一连串响头，把早就装扮好的溥仪请上皇帝宝座，宣布清王朝复辟。把民国六年改为宣统九年，重新升起黄龙旗，大封帮助复辟的功臣。张勋的功劳最大，总管军队大权，比刚咽气的袁世凯还威风。北京城里，保皇分子打扮得怪里怪气，颠着屁股东窜西窜，真是丑态百出。

刚打倒了袁世凯这个自封的皇帝，又冒出来一个复辟的小皇帝，全国老百姓都气坏了，纷纷集会抗议。段祺瑞一看，正是自己重新上台的好机会，得到日本支持，带兵从天津打进北京。打垮了张勋的辫子兵，溥仪只做了十二天的复辟梦，就又被赶下台了。

现在该段祺瑞神气了。他自以为是恢复民国最大的功臣，又把所有军政大权揽在自己的手里。为了感谢日本，他答应了日本所有的要求。比袁世凯不敢完全接受的二十一条还厉害，几乎把整个中国的利益都全部出卖完了。他们的眼睛里，哪有什么共和?根本就没有把民国临时政府的约法放在眼里。

73

护法军政府

小知识

1917年7月，孙中山率驻沪海军和部分国会议员至广州，于8月25日召开非常国会，30日通过军政府组织大纲，设大元帅一人，元帅二人，外交、内务、财政、交通、陆军、海军各部设总长一人，并规定临时约法未恢复前，政权由大元帅掌理。9月孙中山当选为大元帅，唐继尧、陆荣廷为元帅。护法运动开始。护法运动开始后，孙中山号召北伐，但南北军阀无意北伐，并在军政府内排挤孙中山。1918年，孙中山辞去大元帅的职务，离开广州。护法运动失败了。

让他这样横行霸道怎么行？

早在张勋复辟的时候，孙中山就起来号召讨伐这伙保皇小丑。如今眼看段祺瑞这样的军阀头子，把共和糟踏得不成样子，决心揭露他们的真面目。为维护真正的共和而斗争。他和革命伙伴廖仲恺一起，从上海赶到广州，组织护法军，进行北伐。西南地区一些军阀为了对付段祺瑞的武力统一，也参加了护法军。许多国会议员从北京跑到广州，召开了非常国会，决定成立护法军政府，选举孙中山做大元帅，指挥护法军北伐。

护法军接连打胜仗，段祺瑞只好下台了。西南军阀和新的北方霸主吴佩孚勾结在一起，把孙中山当成绊脚石，逼着他辞了大元帅的职，离开广州到上海去。护法运动失败了，中国又陷入了军阀混战。孙中山梦想的共和社会，要实现还早得很呢！

从唐努乌梁海到西姆拉会议

> 俄国和英国，两只野心狼
> 一个想占蒙古
> 一个想吞掉西藏

国内军阀混乱成一团，帝国主义没有睡大觉，都想趁火打劫捞一把。

俄国早就打中国北方边疆的主意。因为日俄战争吃了败仗，把中国东北这块地盘让给日本，因此，它要搞蒙古和新疆。

武昌起义的炮声响了，俄国抓住这个时机，煽动一些蒙古王公贵族发动叛乱。赶走了清朝政府驻在库伦（今天的乌兰巴托）的大臣和军队，宣布"独立"，成立"大蒙古国"，不服中央政府的管理。俄国立刻承认

它，和这伙叛乱王公贵族签订"条约"。蒙古的什么事情，它都可以管，好像它是蒙古的主子。

真是岂有此理！

外国强盗怎么能背着中国政府，和叛乱分子悄悄订"条约"？它的眼睛里，还有中国吗？

中国人决不承认蒙古"独立"，也不承认这个非法的"条约"。

中国政府提出抗议。

孙中山给国会打电话，不承认这件事，要国会坚持到底。

俄国明白了，硬来不行，又换了一套办法。它拉拢袁世凯这个卖国贼，不顾全国人民反对签订了一个《中俄声明》。声明中虽然承认蒙古是中国的领土，却同意外蒙古"自治"。

什么是"自治"？就是可以不听中央政府的话，去听俄国的话。岂不是换汤不换药，依旧把外蒙古当成俄国兜里的东西吗？

尽管这样，俄国还是硬从中国身上挖了一块肉。它看中了外蒙古西北部，水草肥美的唐努乌梁海，硬把这一大片地方霸占住，说是俄国的，实在太不讲理了，没有哪一届中国政府承认这档子事。

它把外蒙古划进自己的势力范围还不够，又挑拨内蒙古一些王公贵族叛乱。一步步紧逼，想把魔爪伸进蒙古草原。

也许它做梦也没有想到，自己也有倒霉的时候，俄国发生了十月革命，沙皇政府垮台了，中国政府才趁机出兵开进库伦，平定了叛乱，收复了外蒙古。

俄国在蒙古捣乱的时候，英国在西藏也煽起了叛乱。

英国占了印度以后，两只贼眼一直瞄着北边的"世界屋脊"西藏。想把西藏变成第二个印度。

起初，它像对付印度那样，气势汹汹派兵打进去，被西藏地方军队一次次赶出来。"世界屋脊"地形复杂，到处都是积满冰雪的高山，想翻过去很不容易。有中央政府支持的西藏人民热爱祖国和家乡，不是好对付的。英国侵略者吃了几次亏，心里明白了。硬打是不行的，只有施展诡计，收买阴谋分子和糊涂虫，从内部破坏这个"山的王国"，才能达到目的。

可是到西藏的路很不好走。要到西藏去找一个代理人。也很不容易啊！

俗话说："耐心，总会得到回报。"有经验的贼，都是这样耐住性子，等着时机到来。

机会终于来了。

光绪三十四年（公元1908年），西藏的十三世达赖喇嘛走出山的世界到北京去朝见清朝皇帝。平时想见这个西藏掌权喇嘛多么不容易，现在正是机会，应该赶紧拦住呀！

英国公使连忙找到他，千方百计拉拢，把他拉到自己一边。他们的阴谋诡计，已经实现一半了。

第二年，这个被英国迷药灌昏了脑袋的十三世达赖喇嘛回到西藏，就带领了一批想搞分裂的大农奴主，一起逃到印度的大吉岭，公开投靠英帝国主义，背叛了祖国。他辜负了祖国的信任，清朝中央政府知道了，立刻取消了他的达赖喇嘛的称号，饶不了这个卖国贼。

不久，武昌起义，推翻了清朝。英国人觉得机会来了，立刻叫他派人悄悄溜回西藏煽动叛乱。接着，又派兵送他回拉萨，在英国刺刀保护下宣布"独立"。

武昌起义军使用的大炮

火煽起来了，叛乱分子在西藏闹得一团糟，从拉萨一直闹到四川省边境，要把西藏变成英国的"保护国"。

这样胡闹怎么行？西藏和全国各地人民都不答应，北京的北洋政府不得不派邻近的四川、云南两省军队去平叛。可是袁世凯经不住英国的威吓，刚下了命令，立刻又叫军队停止前进，要看英国的脸色。

英国侵略者从后台钻出来了，装作一副公正的样子，给两边"调停"劝架。通知中国政府，赶快派人到印度的西姆拉来，参加中、英、藏三方调解会议。

真太可笑了！

中国政府派兵平叛，有什么和英国商量的？

就算中国政府和西藏地方一些人对话谈判，也轮不着英国狗拿耗子，多管闲事，更不该到外国去开会呀！

有半点民族自尊的人，也不会去参加这种别有用心的会议。可是袁世凯害怕高鼻子洋人，竟派人去参加了。

常言道："宴无好宴，会无好会"。英国佬一手操纵的会议，对中国有什么好处？他们和西藏叛乱分子一唱一和，逼着中国代表答应他们的条件。

西藏叛乱分子说，西藏要"独立"，青海和四川省西部地方都是西藏的。不准中国政府官员住在西藏。

78

西藏是英国的事情，中国政府管不着。

英国人说，西藏、青海、西康的全部（西康是从前划分的一个省，包括今天的西藏昌都地区和四川省西部。）和四川、云南、甘肃、新疆的一部分地方，都是西藏的。金沙江以西是"外藏"，要完全独立，金沙江以东是"内藏"，由中国、西藏"共同管理"。

英国胃口真大，一下子就想吞掉中国四分之一的领土，比它自己本国不知大多少倍。多亏中国代表陈贻范看透了它的野心，说明西藏自古以来就是中国的领土，说什么也不肯在这个卖国条约上签字。

小知识　麦克马洪线

英帝国主义为侵略中国西藏而阴谋设立的所谓"中印边界线"。是参加西姆拉会的英国代表亨利·麦克马洪同西藏地方当局的代表，背着当时的中国中央政府的代表，于1914年3月24日在德里以秘密换文的方式制造的。它根本没有上过西姆拉会议的日程。这条线，西起不丹边境，向东延伸至中印边境东段，把历来属于中国的面积约9万平方公里的地区，划归当时英国统治的印度。英国人作贼心虚，从未在正式场合公布有关的文件，也不敢改变地图上这段边界的历来画法。历届中国中央政府从未批准或承认这条线。

中国代表不签字，英国人干脆勾结西藏叛乱分子，在这个条约上签了字。英国代表麦克马洪又背着中国代表，在地图上画了一条线，把9万多平方公里的中国领土划归印度，一场闹剧才收了场。

这实在太不像话了！后来所有的中国政府，也都不承认这个由英国自编自演的《西姆拉条约》丑剧，也不承认非法的"麦克马洪线"。现在居然有人想拿它做 依据，让我们承认它，岂不是白日做梦吗？

1911 年 10 月 10 日，武昌起义爆发。
图为武昌城外革命军炮队隔江轰击敌军。

钱玄同　　　　　陈独秀　　　　　李大钊　　　　　胡　适

伟大的五四运动

十月革命一声炮响
送来了马克思主义新思想
爱国学生一声吼，排山倒海掀巨浪

为什么中国老是受帝国主义的欺侮？

为什么辛亥革命推翻了封建的清王朝，我们的国家还是乱七八糟的，军阀横行霸道，老百姓不能当家做主？这个"民国"简直是挂羊头，卖狗肉！

一些有头脑的人想来想去，想出一个很重要的原因。

封建王朝虽然被推翻了，两千年留下来的发霉发臭的封建思想却还依然存在。

你要讲民主么？那些穿长袍马褂的老夫子们就板着面孔，给你大讲什么"三纲五常"。说什么做臣子要绝对服从皇帝，做儿子要绝对服从父亲，做妻子要绝对服从丈夫。谁不遵守这些规矩，就被当成"离经叛道"的人，遭到有顽固思想的人的咒骂。

现在没有皇帝了，老百姓该服从

谁呢？

听总统和别的大官的话呀！他们代替了从前的皇帝和大大小小的官老爷，把"三纲五常"等话变一下，老百姓当然应该听他们的话。

存在这种封建思想，难怪军阀这样蛮不讲理。袁世凯想当皇帝，张勋不肯剪辫子，还把倒了台的清朝末代皇帝捧出来，妄想复辟封建王朝，在历史轨道上开倒车。

轰轰烈烈的辛亥革命，根本就没有达到人人平等的"共和"的目的，被这种害死人的旧思想，胡作非为的军阀们，活活葬送了。

说来说去，辛亥革命还有一个致命的问题。

陈独秀

小知识

陈独秀（1880－1942）安徽怀宁人。早年参加过辛亥革命和反袁斗争。这些斗争失败以后，他没有消沉。对照中国和西方国家的历史，他认真研究，认为中国革命多次失败的原因，是由于几千年封建文化毒害的结果。因此救亡之道首先是要打倒中国的封建而代之以西方文明。所以，他创办了《新青年》，并在第一卷第一号上发表了《敬告青年》一文，满怀爱国激情，启示青年必须树立变革现实的思想，以适应历史的发展。他期望青年要有探索的勇气和创新的胆识，"应战胜恶社会，而不为恶社会所屈服。"

只打倒了皇帝，没有打倒大大小小的"土皇帝"。这些带枪的"土皇帝"，依旧骑在老百姓的脖子上，老百姓怎么能够喘得了气？更谈不上讲"平等"和"自由"了。

辛亥革命只有少数人参加，没有发动起广大的老百姓，反对军阀"土皇帝"的力量当然不够。

中国应该补一堂课，迎接"德先生"和"赛先生"。（这是两个英译名词）"德先生"是"民主"，"赛先生"是"科学"。好好提倡一下民主和科学的新文化才对。

1915年9月，有一个名叫《青年》的刊物在上海出现了。办这个刊物的是陈独秀。他号召青年们赶快起来，和腐败的旧思想作斗争。它像是洪亮的钟声立刻传遍四方，受到进步青年的欢迎。却被维护旧思想、旧礼教的顽固派当成洪水猛兽，拼命咒骂攻击。

过了一年，这个刊物干脆改名叫做《新青年》。除了陈独秀、李大钊、鲁迅、胡适、钱玄同、刘半农等，许多人也参加了编辑，提出"打倒孔家店"的口号。提倡民主，反对专制；提倡自由平等、个性解放，反对封建伦理道德；提倡科学、反对迷信；提倡新文学、提倡白话文，主张怎么说话，就怎么写文章，反对老百姓看不懂的之乎者也的文言文，掀起了一场轰轰烈烈的新文化运动。

1917年，俄国爆发了伟大的十月

革命，推翻了沙皇的专制独裁政府。在列宁领导下，建立了苏维埃政权，从前受压迫的劳动人民真正当家作主，使生活在黑暗中的中国人看见了希望。

走十月革命的道路，才是正确的方向。

李大钊写文章，热情歌颂十月革命。他说："赤旗的胜利，是世界劳工阶级的胜利，是二十世纪新潮流的胜利。"他预言，"试看将来的环球，必是赤旗的世界。"

他又提出，知识分子应该"同劳动阶级打成一气"。只有这样，革命才能成功。

中国人觉醒了，一场新的革命风

暴，就要来临。新民主义义革命，很快就要代替旧民主主义革命。

这场新的革命风暴有广大的老百姓参加，反对的不仅是封建皇帝，还要反对大大小小卖国的军阀和陈旧的封建思想。把这些封建思想一古脑儿铲除干净，才能有真正的平等、自由，人民真正当家作主。

1919年5月4日，一场革命风暴在北京爆发了。三千多个爱国学生打着北京大学和别的学校的旗子，在天安门前高声呼喊：

"誓死收回青岛！"

"还我山东！"

"取消二十一条！"

"外争主权，内除国贼！"

"惩办卖国贼曹、章、陆！"（曹汝霖、陆宗舆、章宗祥，都是和日本勾结的卖国贼。）

"……"

他们如此愤怒激动，这是为什么？

原来，第一次世界大战结束了，27个战胜国在法国巴黎召开和平会议。中国曾经对德国宣战，也派代表参加了这个会议，提出要收回德国在山东的特权。想不到帝国主义列强竟不理睬中国的合理要求，反而决定把山东交给日本。

这太不像话了，中国到底是战胜国，还是战败国？怎么能像打了败仗似的，任随别人宰割？

更加气人的是，这样丢脸的条约，北洋军阀政府竟背着全国老百姓，偷偷给开会的代表下命令：可以答应签字承认。

消息传回来，全国老百姓都气破了肚皮。军阀头子们不明白，受了新思想影响的老百姓和从前不一样了，再也不会不做声。他们不怕帝国主义，也不怕这些"土皇帝"，像火山爆发一样冲上街头游行示威。

北洋政府以为学生好欺侮，派了许多警察和军队，端起了上刺刀的枪，警告学生不准游行。愤怒的学生才不管呢！先冲到东交民巷外国使馆区，受到阻挡。又冲到赵家楼胡同，去打从前订二十一条时候的外交部次长，卖国贼曹汝霖。这个家伙瞧见形势不妙，躲了起来。正在他家的章宗祥，挨了学生一顿痛打。学生们没有抓住曹汝霖，一把火烧了他的家。警察和军队赶来，抓了32个爱国学生和老百姓。

勇敢的爱国学生才不会低头呢！

第二天，全体罢课。

第三天，成立了北京学生联合会。发电报，散传单，走上街头去演讲。号召同胞们起来，打倒卖国的北洋政府，打倒帝国主义！反动警察和军队抓了几百个演讲的学生，但压不垮这场轰轰烈烈的爱国学生运动。

消息传到全国。全国老百姓都怒吼起来，支援北京和爱国学生。

上海工人首先罢工。

沪宁、沪杭两条铁路的工人罢了

83

工，使上海交通瘫痪，造成很大的影响。

接着，全国有22个省，150多个城市的工人罢工，商人关了店罢市，大家喊出同一个声音。

"打倒帝国主义！"

"不承认卖国政府！"

大家和爱国学生站在一起，要和卖国贼算账。

过了一个月，各省派了学生代表，和两万多北京学生一起，聚集在北洋军阀政府的大门口，要总统徐世昌出来说话。

徐世昌害怕了，不敢出来见学生。学生围住不散，非要他出来不可。徐世昌没有办法，只好请十个学生代表进去，和他谈判。

徐世昌摆着架子，教训学生们说："你们还年轻，不懂事。快回去吧，别在这儿闹事，国家大事，政府会办好的。"

学生们才不理睬呢，一个个慷慨激昂地和他辩论，从西安来的一个中学生叫屈武，气得流下了眼泪，一脑袋朝墙上撞去，激动地喊道："我们要做亡国奴了，还在这里慢吞吞地说什么？政府不答应我们的要求，我们誓死斗争到底！"

鲜血顿时就从他的额头上迸流出来，染红了衣服和墙壁。徐世昌想不到学生这么坚决，吓得不知道该怎么办才好。

时间一分钟、一分钟拖下去，等

候在外面的学生们忍耐不住了，高声喊着口号要往里冲，和军队、警察打了起来。到了半夜，徐世昌和他手下的官员们终于顶不住了，只好低头认输，同意撤了曹汝霖、陆宗舆、章宗祥三个卖国贼的官。打电报命令参加巴黎和会的中国代表，不准在卖国条约上签字。

爱国人民头一次斗倒了军阀头子，显示出老百姓的伟大力量。

光荣的"五四运动"，揭开了中国历史的一个新篇章。

这是中国新民主义义革命的开始。反动军阀头子们，再也别想背着老百姓订卖国条约，骑在老百姓的头上作威作福了。

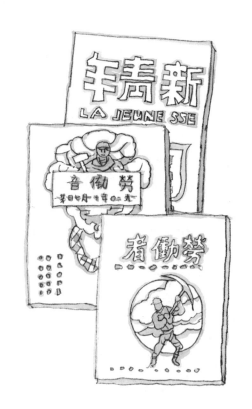

中国共产党诞生了

在南湖的船上
成立了中国共产党
中国从此有了希望

一天天觉醒的中国革命群众，渴望有领导革命的带头人。

走俄国十月革命的道路，必须建立无产阶级的革命政党。

1920年2月，天气还寒气凛冽，一列火车从北京开出来，经过天津，开到上海去。车上坐着两个特殊的旅客，正在兴致勃勃地讨论一件非常重要的事情。

一个是陈独秀，要到上海去。

另一个是李大钊，陪着他，一直送到天津才下车。

他们在车上商量，中国应该像俄国一样，也成立自己的共产党。有了共产党，才能领导革命取得最后胜利。

两个人热烈地握手告别了。一个留在北方，一个回到南方，积极准备建党的工作。李大钊和邓中夏等一些革命者，在北京大学秘密建立了马克思学说研究会。接着，陈独秀在上海也成立了马克思主义研究会。在法国勤工俭学的蔡和森，写信给在湖南家乡的毛泽东，提出应该成立像俄国一样的共产党。毛泽东回信表示赞成，主张必须用马克思主义做建党的理论指导。

成立共产党，已经做好准备了。

时间车轮在前进，历史飞快地翻到新一页。

1920年8月，陈独秀带头，在上海建立中国的第一个共产主义小组。李大钊带头，在北京也成立了同样的共产主义小组。紧接着，毛泽东等在长沙，董必武等在武汉，周恩来等在法国巴黎，还有人在济南、广州和日本东京，都成立了同样的组织。

他们一面研究，一面宣传马克思主义。

他们积极领导工人运动。出版工人能够看懂的革命刊物，办夜校，建立工会，发动罢工。

他们团结了一大批进步青年，成立了社会主义青年团。

他们做了许多工作，成立共产党的条件越来越成熟了。

这一天，终于盼到了。

1921年7月23日晚上，在上海法租界望志路106号，秘密举行了中国共产党第一次全国代表大会。参加的有从四面八方来的正式代表毛泽东等12个人，还有几个列席代表。从俄国派来的共产国际代表，也参加了会议。

会议开得很热烈。开了几天，一个晚上，突然有一个谁也不认识的陌生人闯了进来，东张西望看了一下，立刻又拔腿溜掉了。

肯定是一个密探！夜猫子钻出来，不会有好事情。这里是外国租界，很快就会把高鼻子巡捕（巡捕是租界里的外国警察）勾引来，抓走代表，破坏建立共产党的大事情。

大家的警惕性很高。立刻停止开会，一个个走出去。第二天早上，赶到上海南面不远的浙江省嘉兴县，在南湖湖心的一艘古式游艇上接着开会。人们只以为这是一些快乐的游客，谁知道船上正在举行一个非常重要的秘密会议呢？

在这个会议上，大家都赞成，立刻成立中国共产党。通过了党章，选举陈独秀做党的领导机关中央局的书记。

大会提出了共产党的主张。

"革命军队必须与无产阶级一起，推翻资本家阶级的政权。"

"承认无产阶级专制。"

"消灭资本家所有制，没收机器、土地、厂房和半成品等生产资料，归社会所有。"

"联合第三国际。"

这是多么响亮的声音，和旧民主主义革命有多大的不同。中国共产党一开始，就把社会主义、共产主义当成奋斗的目标。丢掉所有的幻想，用革命的手段来实现这个伟大的目标。

南湖的船啊，是引导中国革命乘风破浪的航船。从此，革命有了正确的航向，可以一帆风顺向前进，直到

86

取得最后胜利。

中国共产党一成立，就领导工人阶级和帝国主义、封建军阀作斗争。仅仅一年多，各地就举行了上百次罢工，参加罢工的工人有好几十万。其中，影响最大的有三次大罢工。

1922年1月，香港的中国海员反抗外国资本家的剥削。为什么在同一条船上，白人海员的工资比中国海员高许多？这太不公平了，是对中国人的歧视，为此举行了大罢工。香港是一个四面被海水包围的小岛，海员罢了工，吃的、用的东西都运不进来，英国殖民者慌了，连忙派兵封了海员工会，还打死几个海员工人。想逼着他们上工。

海员工人才不理睬这一套呢！有的干脆离开香港到广州去。广东的海员工人也生气了，大家商量好，什么

中共"一大"会址

东西也不运到香港，看那些自以为了不起的英国殖民者怎么办？

殖民者急得焦头烂额，实在没有办法，只好乖乖地低下脑袋，完全接受了海员工人增加工资的条件。

胜利的海员工人多么高兴啊！他们看清楚了自己的力量，再也不怕帝国主义这只纸老虎了。

接着，在毛泽东、李立三、刘少奇的领导下，在湖南的萍株铁路和安源煤矿，又举行了铁路和煤矿工人大罢工。斗倒了反动当局，也取得了胜利。工人阶级有了共产党的领导，向反动派斗争的经验越来越丰富，越来越勇敢，什么反动力量也不害怕了。

工人运动一天天蓬勃发展。到了1923年2月，爆发了规模更大的京汉铁路工人大罢工。

京汉铁路从北京到湖北省的汉口，有一千多公里长。沿线各地的铁路工人派了代表，打算在郑州开会，成立自己的总工会。郑州被北洋军阀吴佩孚盘踞着，这个反动家伙是革命的死对头。他听说铁路工人在自己的鼻尖面前开会，气得嗷嗷叫，派了许多军队和警察守住路口，不准工人进会场。工人一点也不怕，冲破了武装军警的封锁线，开进会场照样开会，宣布成立了京汉铁路总工会。

吴佩孚想不到工人这样厉害，立刻下命令："打！"反动军警仗着自

87

己人多，手里有武器，冲进会场，一阵乱砸乱打，把总工会查封了。

吴佩孚逞凶的消息传到各处，铁路工人愤怒了。决定把总工会搬到武汉附近的江岸地方，举行整条铁路大罢工。

京汉铁路是北洋军阀运兵、运粮的大动脉。铁路工人罢工，火车不开了，对他们的影响实在太大了。从来就迷信拳头，不讲道理的吴佩孚开始下毒手了。

2月7日，他派手下的军队，在铁路沿线和长辛店、郑州、驻马店、信阳、广水和江岸几个车站，同时对罢工的铁路工人动手，制造了空前的"二七惨案"。

这天下午，几百个杀气腾腾的军警分成几路，朝江岸开来。领导罢工的京汉铁路总工会江岸分会委员长、共产党员林祥谦，立刻指挥工人纠察队抵抗。可是工人手里只有棍棒，抵挡不住全副武装的军警。敌人开枪，许多工人倒在血泊里，还有许多人被抓走了。

林祥谦也被抓住，被五花大绑推到敌人指挥官的面前。

敌人气势汹汹对他说："只要你下命令，叫大家复工，就放了你。"

"呸！"林祥谦回答说，"没有总工会的命令，决不复工。"

敌人气得双脚直跳，提起马刀，连砍了几刀，他被砍得满身血淋淋，依旧不肯低头答应。

"你们砍了我的脑袋，也不能复工！"

林祥谦愤怒地瞪着敌人，在屠刀下英勇牺牲了。

京汉铁路总工会的法律顾问，共产党员施洋大律师也牺牲了。

共产党员和铁路工人的血不会白流。人们牢牢记住这笔血债，迟早要向凶恶的反动派讨还。

林祥谦　　　　　　　　　　施洋

伟大的握手

共产党伸出了手
孙中山找到真正的朋友
从此革命不发愁

第一次世界大战结束了，打得头破血流的帝国主义列强喘了一口气，又回过头来，打算瓜分苦难的中国。这时才发现日本趁他们在欧洲打得正欢的时候，几乎把中国的好处都占完了。他们急了，拉着日本在美国首都华盛顿开了一个会。美国装作很公平的样子提出来，应该"门户开放"、"机会均等"，大家都在中国沾一点光。背着中国订了《九国公约》，想把中国恢复到从前大家各霸一方的老样子。各自支持一个军阀，打过来，打过去，互相争夺利益。

瞧见这副模样，孙中山痛心极了。他手里没有一个兵，只好把希望寄托在广东军阀陈炯明的身上。想靠陈炯明赶走广西军阀，重回广州，召开非常国会会议，选举他做非常大总统，再次举起护法斗争的大旗。他想派兵北伐打倒军阀，打倒帝国主义的势力，建立他梦想中的共和国。

可惜啊！真可惜。孙中山看错了人，陈炯明也不是好东西。他勾结了北洋军阀和英国，突然发动叛乱。包围了总统府，炮轰孙中山住的地方。孙中山好不容易才逃出来。躲在停在江心的永丰号军舰（为了纪念这件事，后来这只军舰改名叫"中山号"）上，找机会逃到上海。

俗话说，屋漏偏逢连阴雨。孙中山一次次斗争，一次次失败，烦恼极了。哪儿才能找到真正的革命朋友，谁能真心真意帮助他，把革命进行到底？

孙中山正在发愁的时候，共产党向他伸出了手。

共产党看出来了，孙中山是真正的革命者。可惜他不知道依靠工农大众，所以没有把革命进行成功。

远在莫斯科的共产国际，派人来和孙中山联系。中国共产党也派李大钊来，和他讨论革命的形势。决定共产党员以个人的名义加入国民党，改造孙中山领导的国民党，输入新鲜的革命血液。

人病了，要输血。孙中山的国民党病了，也要输血。有了这些革命血液，不怕把死气沉沉的国民党改造不好。

孙中山看见了光明的出路，心里非常高兴，和苏联大使越飞一起，发表了《孙文越飞联合宣言》。决定拜苏联做老师，在共产党的帮助下，好好进行国民革命。

共产党帮助他，定了三个非常重要的政策。

联合俄国！

联合共产党！

扶助农工大众！

他把三民主义也重新解释了一下。

什么叫"民族主义"？应该对外反对帝国主义，对内反对民族压迫，各民族一律平等。

什么叫"民权主义"？应该把民主权利交给广大老百姓，不能变成少数人的东西。

什么叫"民生主义"？应该让农民有田地种，工人有饭吃，不受资本家的欺侮。

孙中山学了多少新东西啊！

有了苏联和中国共产党的帮助，有了广大农工大众支持，什么困难不能克服？什么反动军阀和帝国主义不能打倒？

许多共产党员和工农积极分子加入了国民党。有了这些新鲜的革命血液，国民党恢复了青春，革命活动蓬蓬

黄埔军校

小知识

在中国共产党和苏联的帮助下，1924年5月，国民党在广州黄埔建立中国国民党陆军军官学校，简称黄埔军校。蒋介石任校长，廖仲恺任党代表，周恩来任政治部主任。黄埔军校和以往的军校不同，它把政治教育和军事训练放到了同等重要的地位，注重培养学生的爱国思想和奋斗精神。黄埔军校为建立国民革命军奠定了基础，在大革命时期培养了大批军事人才。

勃勃开展起来了。

要革命，没有革命军队可不成。

建立一支革命军队，没有好指挥官也不成。

从前，孙中山搞革命没有成功，就吃了没有自己的革命军队的大亏。

为了成立革命军队，苏联和中国共产党帮助孙中山，办了一个陆军军官学校。因为这个学校在广州附近的黄埔地方，所以又叫黄埔军校。廖仲恺当党代表，蒋介石当校长。

苏联热情地派来了顾问，送来了武器。

这个军校学习苏联红军的方法，有党代表，狠抓政治工作。中国共产党派来许多优秀的党员到军校里工作，周恩来当军校的政治部主任。又选派许多党员来学习，第一期毕业生里，就有徐向前、陈赓、左权等56个共产党员、共青团员，成为革命的骨干。不久，广州的商团武装叛乱，妄想推翻孙中山的革命政府。黄埔军校的学生军开出去，共产党员带头，一出马就打了一个大胜仗，显出了威风。

为了把革命搞得更加深入，共产党还到处发动工人、农民运动，声势越来越大了。

孙中山非常高兴。有了自己的革命军队和工人、农民的帮助，北伐一定可以成功，打倒军阀的日子不远了。

想不到，不用打，北洋军阀内部却出了乱子。有一个叫冯玉祥的大将，在北京带兵发动政变，推翻了军阀曹锟、吴佩孚把持的北洋政府，又把末代皇帝溥仪赶出皇宫。打电报请孙中山到北京商量和平统一的事情。

孙中山正在生病，听到这个消息，连忙赶到北京去。谁知，新成立的北京政府，还有一些反动军阀，根本就不答应孙中山的要求，马上召开国民会议。孙中山兴冲冲赶来，和平统一的希望却落了一场空。

孙中山，太辛苦，也太累了，病情一天天加重了。1925年3月12日，伟大的民主革命先行者孙中山永远闭上了眼睛，来不及看见他向往的革命胜利的一天。

他在遗嘱里说的最后几句话，还深切关注着革命的前途。"革命尚未成功，同志仍须努力！"这就是他对大家的希望。

他向往的革命，怎么才能成功？

只有"联俄、联共、扶助农工"，实行新三民主义。

北京民众追悼孙中山

从北伐到"四·一二"

93

> 北伐军打倒列强除军阀
> 蒋介石顺着大树往上爬
> 翻脸进行大屠杀

孙中山逝世了，谁来接替他领导国民革命？

一个野心家趁机钻了出来。

他就是蒋介石，本名叫做蒋中正。在北方和日本读过几天军校，有很深的封建和法西斯思想根子。后来又跑到上海，投靠青帮流氓头子黄金荣、杜月笙，做了一阵子股票投机生意，染上一身流氓习气。

他毕竟比别的小流氓有眼光，看准了孙中山这棵大树，跑到广州，混进革命阵营，做了一笔更大的政治投机

生意。恰巧陈炯明武装叛乱，广州闹得一团糟。他抓住这机会，跟着孙中山躲到永丰号军舰上。装做立场很坚定的样子，站在孙中山的旁边拍了一张照片，当作以后炫耀的资本。孙中山错误地相信了他，后来派他当黄埔军校的校长。他的名气一天天大了起来。可是要和别的国民党元老比，他还差得远。

那时候，有两个元老。一个叫廖仲凯，一个叫胡汉民，是孙中山逝世后，最有影响的大人物。有他们在，蒋介石就别想出头。

他做梦也没有想到，突然冒出来一个出头的机会。

孙中山最得力的革命助手廖仲恺，突然被刺杀了。人们非常气愤，想抓住凶手。

这是一个好机会！蒋介石立刻调黄埔军校学生，开到胡汉民的家门口，把罪过推到他的身上。顺便捎上当时在广东最有势力的地方军队首领许崇智，逼着他和胡汉民逃得远远的。这样一来，蒋介石的势力就大了。

他还有一个最害怕的眼中钉。这儿还有共产党，决不许他胡来。

为了对付这个对手，蒙骗大家，他使出了更狡猾的手法。

他一面装得慷慨激昂地大喊革命口号，赌咒发誓一定要坚持孙中山的"联俄、联共、扶助农工"的三大政策。说中国革命是"完全为农工阶级"，如果国民党和共产党不好好合作，革命就会失败，把自己装扮得比谁都更加"革命"。甚至有一次开会，非常肉麻地叫大家都站起来，向苏联顾问恭恭敬敬鞠一个躬，表示他的忠诚，把苏联顾问也搞慌了。

另一面，他咬牙切齿地作准备，想找一个借口，把共产党也赶得远远的。可是共产党办事很公正，不管他怎么横看竖看，也挑不出半点毛病。只好拿出从前在上海滩学来的流氓的办法，不管三七二十一，像疯狗一样，先咬一口再说。

孙中山逝世刚一年零八天，他就突然翻脸造谣，胡说共产党悄悄开着中山号军舰，要绑架他。他装成"受害者"的样子大叫大嚷，立刻在广州全城戒严。派兵抓起一些共产党员，又包围了苏联顾问住的地方，还把周恩来和一大批共

黄埔军校大门

产党员赶出军队，想把所有的权力都抓到手。

平时满口"革命道理"的蒋介石，怎么会变成这个样子？

毛泽东、周恩来和别的革命同志，早已看出他是野心家，主张毫不客气地顶回去。谁知，苏联顾问和陈独秀却用妥协退让的办法，争取团结他，结果让他稳稳当当抓了兵权。

不久，北伐战争开始，他当上了国民革命军总司令，更加神气了。

北伐军高唱着"打倒列强除军阀"，浩浩荡荡分兵三路，向北洋军阀盘踞的顽固堡垒进攻。

其中，从广州一直往北，湖南、湖北的西路，是两军决战的主要战场，双方都把主力部队放在这里。谁打赢了，谁就会取得最后胜利。

北伐军的先锋大将，是带领第四军独立团的共产党员叶挺。依靠老百姓的帮助，一路打过去，很快就解放了湖南省，打到号称"湖北南大门"的汀泗桥。铁路从这里经过。不过这座桥，就别想向长江中游重镇武汉前进一步。

北洋军阀吴佩孚仗着这里背靠着大山，地势险要，派了两万多精兵把守，想把北伐军消灭在这里。谁知，叶挺请老百姓带路，悄悄包抄到敌人背后，爬上汀泗桥后面的大山，冲下来一下子就把北洋兵打得落花流水，占领了这座重要的铁桥。

吴佩孚输了不甘心，把他的全部老本都掏出来，死守在第二道防线贺胜桥。派大刀队在后面督阵，谁后退，就砍谁的脑袋。可是依靠大刀队打气的北洋兵，也挡不住叶挺率领的北伐军。队伍乱了套，丢了阵地往回就跑。平时非常骄傲，自比"武圣人关公"的吴佩孚也顾不上摆架子了，吓得屁滚尿流，跳上火车就跑，不敢再和北伐军交手了。

叶挺给第四军赢得了"铁军"的称号，趁势取得了武汉三镇。广东国民政府搬到了这里，指挥其他几路北伐军，继续打击敌人。北方的冯玉祥在共产党员刘伯坚、邓小平和苏联顾问的鼓动下，在绥远省五原县宣誓起兵，加入国民革命军。从背后杀来，北洋兵更加招架不住，很快就垮了。

北洋军阀垮台了，帝国主义列强失去了狗腿子，怎么办？必须再找一个新的代理人才行。

他们东瞅西瞅，相中了新军阀蒋介石。英国和美国派军舰炮轰南京，打死、打伤许多人，先给他一点颜色看，然后又派人和他拉关系。蒋介石也想找一个靠山，经不住这样一打一拉，一下子就上了钩。

现在，蒋介石的翅膀长硬了。可以撕开假面具，露出狰狞的反革命面目了。

1927 年 4 月 12 日，天刚蒙蒙亮，他从祖师爷黄金荣、杜月笙那里，弄来了许多青红帮流氓打手，冒充工人纠察队，突然攻打真正的工人纠察队。打得不可开交的时候，他又调了大批军

95

队，来"调解"工人的"内讧"。收缴了工人纠察队的武器，便立刻高喊"打倒赤色分子"，对共产党和工人群众大抓大杀。无数共产党员和革命群众倒在血泊里，制造了一场空前的反革命大血案。

接着，各地跟着这样干，不知有多少优秀的中华儿女倒在反革命的屠刀下。李大钊和一些共产党员，也在北京被东北军阀张作霖杀害了。

蒋介石叛变了，还有一个汪精卫混在革命阵营里，他本来就和蒋介石有些不和。蒋介石想抓权，在南京成立了一个政府。汪精卫就假装正经，在武汉大唱高调，开除蒋介石出党，并下命令通缉他。宣布自己站在工农大众一边，迷惑了许多人，以为他真的很"革命"。

谁知，汪精卫和蒋介石是一路货色。刚过了三个月，也撕下笑嘻嘻的假面具。

这一年的7月15日，他跟在蒋介石的后面叛变革命，下令大抓大杀共产党员，说什么"宁可枉杀一千，不可漏掉一个"。

抓、抓、抓；杀、杀、杀！

蒋介石、汪精卫和各地军阀伙在一起，和共产党公开翻脸，把一场好端端的革命破坏了。

他们背叛了孙中山，背叛了革命。

他们葬送了北伐战争的胜利成果。

他们给自己打上了反革命的印记，成为可耻的历史罪人。

星星之火

高高的井冈山
耸立在万山中间
飘起了红旗一面

97

蒋介石得了势，想独霸全国。别的军阀可不依他，又发生了一场新军阀大战。

这伙军阀和旧军阀有些不一样。尽管干的都是同样的勾当，嘴里却喊着"国民革命"的词句，互相勾心斗角，争夺霸主的地位。打过来，打过去。别的军阀经不住蒋介石又打又拉，花钱收买他们部下的办法，一个个被他打败了，让他在南京坐稳了江山。

他上了台，怎么干？

蛮不讲理的军阀们接连不断打了许多年的仗，帝国主义照样骑在中国人的脖子上，老百姓非常痛苦，希望能够过上好日子。

老百姓的要求很简单，还是要求"民主"和"科学"，盼着"德先生"和"赛先生"早一天到来。

蒋介石要当独裁者，才不喜欢"德先生"呢！他正忙着给自己捞好处，也没有心思发展科学，迎接"赛先生"，和老百姓想的根本不一样。

他皱着眉头说，要民主，没有那么

98

他宣布，由他控制的国民党代表大会，代替国民大会，实行国民党一党专政。

他宣布，全国实行保甲法。不管老百姓做什么事情，都被狗腿子保长、甲长监视得紧紧的，别想乱说乱动。

他成立了"军统"和"中统"两个特务机关，瞧谁不顺眼就抓起来。下命令大抓共产党，再也不提实行孙中山的"联俄、联共、扶助农工"三大政策了。

黑暗笼罩了大地，无数革命者被关进监牢，甚至被推上刑场。

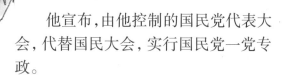

简单。现在刚和别的军阀打完仗，结束了"军政"时期。老百姓没有知识，需要由他好好"训练"一下，再过一个"训政"时期再说。这个"训政"时期到底有多长，他没有说清楚，却按照他自己的主意，板着面孔训起别人来了。

在恐怖的黑暗里，坚强的革命者没有低头后退。一个名叫夏明翰的共产党员，在走上刑场快要牺牲的时候，写了一首诗，表示他坚决斗争，对胜利充满信心的心情。

砍头不要紧，

只要主义真。

杀了夏明翰，

还有后来人。

在这茫茫黑夜里，革命者该怎么办？

1927年8月7日，中共中央在武汉召开了紧急会议。批判了陈独秀处处对国民党退让的错误，要用革命的武装，来对付反革命的武装。只有走这条正确的道路，才能掀起新的革命高潮。

召开这个会议的前几天，一些革命者已经动起手来。

这时候，反革命的气焰非常嚣张，只有驻守在江西北部的第四军里，还有一些部队在革命者的手里。敌人非常注意，已经调兵围了上来。第四军军长张发奎也提出来，共产党员必须退出他的军队。要不，就退出共产党。

情况非常紧急，再不当机立断，革命者就要吃大亏。中共中央看清形势，决定成立以周恩来为首的前敌委员会，立刻在当地起义。

8月1日，周恩来、贺龙、叶挺、朱德、刘伯承，带领两万多战士，在南昌举起起义大旗。只用了4个多小时，就占领了这座赣江边的古城。从这一天

起，中国无产阶级有了自己的革命军队，可以用革命的武装对付反革命武装，推翻蒋介石的独裁统治，争取建立自己的人民政权了。这一天很有意义，所以后来就把8月1日定为建军节。

八一南昌起义胜利了，下一步该怎么办？

南昌的枪声，使敌人吓了一跳。他们恨得咬牙切齿，连忙从四面八方扑了上来，想一下子扑灭这股火焰。起义部队再留在南昌，没有太大的意义，就按原计划迅速向南撤退到广东去。那里的老百姓曾受到革命的熏陶，懂得革命的道理，又紧靠着大海，可以通往广阔的世界。在那里建立革命根据地，依靠共产国际从海上运来军火，重新开始北伐战争，没准儿会取得胜利。

这个想法很不错，可惜一路上都在打仗，加上天气太热了，伤亡和生病的战士很多。到了广东，遇着一支人数很多的敌人，狠狠打了一仗，队伍被打散了。一些人冲出去，和当地的农民武装会合在一起。另一些在朱德、陈毅带领下，开到湖南南部去打游击，继续打击敌人。

这时候，湖南也爆发了一场轰轰烈烈的起义。

开了八七会议以后，毛泽东回到湖南去，组织了秋收起义。当时，提出两项非常重要的主张。

枪杆子里面出政权！

没收大地主的土地，分给农民！

这两个主张多么好啊！

对敌人讲和让步不是办法。只有有了自己的革命军队，成立人民自己的政权，老百姓才能当家做主人。

只靠革命者自己干，也不是办法。只有发动群众，让农民分到土地，他们才能积极支持革命，取得最后的胜利。

秋收起义的声势非常浩大，把敌人一下子打懵了。扛着刀枪棍棒的农民们尝到胜利的甜头，兴高采烈地朝长沙开去，想占领这座全省最大的城市，可惜他们没有经验，一心一意只想攻打大城市，城里的敌人军队很多，农民们最后吃了亏败退下来。

毛泽东立刻叫大家退到浏阳县的一个小镇集合，开到敌人力量薄弱的山里去。建立农村革命根据地。先在农村牢牢站住脚，以后再打进城去，夺取最后的胜利。

毛泽东提出了一个非常重要的主张，给革命指明了方向。

农村包围城市！

有了这个办法，就不用忙着拼命攻打大城市，白白牺牲许多人了。广阔的农村是汪洋大海，城市是散布在农村大海里的一座座孤岛。把农民发动起来，在农村里卷起了革命风暴，有什么城市堡垒可以抵挡得住呢？

毛泽东看清楚了，这是一条正确的革命道路，带领队伍大踏步地走向高高耸立在千山万岭中的井冈山。

队伍先在一个叫三湾的地方改编，把有觉悟的共产党员分到每一个连队和班里，这样就可以带领战士坚决战斗了。

这是革命的队伍，人人都平等，谁也别想再像军阀一样打骂士兵。还成立了士兵委员会，当兵的可以监督干部，队伍更加团结了。大家跟着毛泽东，高高兴兴上了井冈山。

不久，朱德和陈毅带领另一支队伍

江西永新县三湾村

来了，两支队伍胜利会师，成立了中国工农红军第四军。后来彭德怀也带了一支队伍上山，力量更大了。敌人来了，被山上的红军战士打得头破血流，井冈山成为真正的攻不破的革命堡垒。

毛泽东高兴地说："星星之火，可以燎原。"

他亲手在井冈山上点燃的小火星，照亮了漫漫黑夜，很快就要成为熊熊烈火，燃遍中国大地了。

101

"九·一八"事变

蒋介石下令不抵抗
丢掉了辽宁、吉林、黑龙江
多少人流亡，多少人拿起枪

有一句俗话说："贪心不足，蛇吞象。"贪心的蛇，想一口把大象吞进肚皮，岂不是天大的笑话吗？

半个世纪以前，有人画一张漫画。比喻小小的日本想吞并中国，就是"蛇吞象"。

日本用什么办法吞中国？

它可不像笨得要命的蛇，打算一口吞掉大象，而是把中国分成许多块，一口、一口地吞下去。这样，就可以"蛇吞象"啦！

它首先瞄准的，是中国的东北。

有一个叫田中义一的日本首相，给日本天皇写了一封秘密奏折说："要征服世界，必须先征服中国。要征服中国，必须先征服中国的满洲和蒙古。"把这个一步步吞并中国的计划，当成日本的"国策"，多么阴险毒辣呀！

他说的"满洲"，就是中国的东北。这是日本朝思暮想，打算首先吞并的一块地方。它把俄国赶出去，想把这儿当成自己的势力范围。清朝被推翻了，就支持号称"东北王"的大军阀张作霖，妄想利用他控制住东北，再进一步吞掉整个中国。

谁知,张作霖有自己的打算,不甘心做它的走狗。阴险的日本鬼子就趁他坐火车回沈阳的时候,在皇姑屯车站附近的一座铁桥下面装了炸药,轰地一声,把他连人带火车炸上了天。

张作霖死了,他的儿子"少帅"张学良接替他,管理东北地方。张学良恨透了日本鬼子。日本想叫他宣布"独立",他不仅狠狠骂了一通,还干脆扯下北洋军阀的五色旗,换上了国民党政府的旗子,支持全国统一,让日本鬼子碰了一鼻子灰。

日本鬼子一咬牙,干脆不用代理人。趁蒋介石正忙着在南方"围剿"红军,自己赤膊上阵,用武力侵占中国的东北。

日本还没有占领东北的时候,就在东北驻扎了一支杀气腾腾的军队,叫做"关东军"。"关东军"派了许多特务,到处侦察情况,做好了侵略的准备。两个法西斯分子板垣征四郎、石原莞尔,在给大本营写的秘密计划上说,要制造机会,"变满蒙为我们的领土"。他们的野心,已经完全暴露出来了。

1931年,他们已经做好了准备,开始动手了。找一个机会,出兵占领东北。

这一年7月,日本兵在长春附近的万宝山,开枪打死了许多老百姓。接着,又在朝鲜杀了华侨,看中国怎么办?

消息传到南京,想不到蒋介石居然吓得软软地说:"日本武器比中国好。如果和日本打仗,三天就可以灭亡中国。"连大气也不敢哼一下。

他一心一意要打共产党,对大家说:"中国如果被帝国主义灭亡了,我们还可以当亡国奴。如果被共产党灭亡了,想当奴隶也当不成啦!"

瞧,这个铁了心要和人民作对的家伙,还有半点中国人的气味吗?

又过了一个月,日本借口一个特务被中国军队抓住枪毙了,大喊大叫受了中国的"欺侮"。又派许多兵到东北,到处挖战壕,准备和中国开仗。

呸!这是什么强盗逻辑?

每个国家都有自己的法律。一个猖狂的日本特务刺探中国的军事情报,犯了法,被枪毙了,有什么不可以?日本军队可以在中国土地上,随便开枪屠杀中国老百姓,中国难道不能惩罚不怀好意的外国特务吗?

呸!呸!呸!走遍天下,也没有这种道理。

谁知,张学良报告蒋介石。丧心病狂的蒋介石,竟接二连三打电报,给张学良下不抵抗的死命令。一个电报说:"如果遇着日本军队挑衅,千万要慎重,不要发生冲突。"

他担心痛恨日本鬼子的张学良沉不住气,接着又打电报说:"不管日本军队怎么找麻烦,都不要还手,你千万别发火呀!"

他还有些不放心,干脆命令张学良,安心带兵在关内打内仗。张学良请

103

求回东北去抵抗日本，他也不同意。

日本瞧见中国政府这样不中用，就放心大胆干起来了。

9月18日晚上，日本"关东军"派人，悄悄炸了沈阳城外一段铁路。反而诬蔑中国军队搞破坏，立刻开枪进攻驻在北大营里的中国军队，爆发了"九一八事变"。

张学良听到消息，立刻再打电报报告蒋介石。蒋介石马上回电说："为了避免事情闹大，绝对采取不抵抗主义。"

好一个"不抵抗主义"！蒋介石一句话，就让东北军放下了枪，恭恭敬敬退出了北大营，日本鬼子一夜之间就占领了东北的心脏——沈阳城。

中国军队有二十万，日本兵还不到两万人。官兵们憋着一肚子气，如果要打，谁输谁赢还说不定呢！可是在蒋介石的"不抵抗主义"命令下，中国军队步步退让，只有106天，东北三省就全部沦陷了。

日本鬼子得意了。按照它早就做好的计划，找了一伙无耻的汉奸，在它的刺刀下面，成立起一个谁都不承认的"满洲国"。把早被中国人民赶下台的清朝末代皇帝溥仪抬出来，做傀儡皇帝。中国的东北，变成了它不折不扣的殖民地。

东北沦陷了，蒋介石怎么向全国人民交代？

他不敢和日本打仗，却跑到"国际联盟"哭哭啼啼告状。"国际联盟"派一了一个英国贵族带着调查团，到现场走马观花转了一圈，写了一份报告，建议中国的东北交给国际共管，让别的帝国主义也参加进来。不叫日本独吞了。日本看了，当然不买账。想不到蒋介石这个没有骨气的家伙，居然拍着手掌答应了。自己的领土，不想办法收回来，居然同意交给几个帝国主义一起来管，这和给一个帝国主义占领，有什么差别？这样的政府，不能保护领土和老百姓，有什么用？

从长白山到黑龙江，整个东三省，陷入了茫茫的黑暗。

无数不愿意做亡国奴的老百姓，流着眼泪告别了家乡，逃亡到山海关内，过苦难的流浪生活。

无数有血性的爱国者，组织起抗日义勇军，拿起刀枪和敌人干起来，要把侵略者赶出去。

驻守在黑龙江的东北军将领马占山、苏炳文，吉林的李杜，辽宁的邓铁

梅，都再也不能忍受了，不顾蒋介石的不抵抗命令，带领爱国官兵，孤军奋战，英勇抵抗敌人。

共产党也派了许多优秀儿女到东北去，和爱国军民一起打击凶恶的日本鬼子。

后来，各地的抗日武装联合起来，组织了东北抗日联军，在共产党员杨靖宇、赵尚志带领下，到处袭击敌人。反抗的火焰越烧越旺，把敌人打得焦头烂额。

敌人对杨靖宇又恨又怕，悬重赏想抓住他。后来因为叛徒出卖，敌人包围了他带领的一支游击队。杨靖宇叫大家沉住气，分散开到别的地方去打敌人。他带了几十个战士，在深山老林里和敌人捉迷藏。

大雪封山了，战士们冒着风雪、饿着肚子和敌人打仗。最后只剩下他一个人，被敌人围住，打完了最后一颗子弹，倒在雪地上，鲜血染红了白雪。

敌人不明白，他又冷又饿，哪有这样大的力量？剖开他的肚皮一看，原来肚子里只有一些草根、树叶和破棉絮，没有一丁点儿粮食。残暴的敌人也吃惊了。这个伟大的抗日战士的斗争竟如此艰苦卓绝！

东北抗日义勇军的斗争，极大地鼓舞了全国老百姓，不分男女老幼，一起行动起来，反对日本帝国主义。大家愤怒地高声唱着："起来！不愿做奴隶的人们。把我们的血肉，筑成我们新的长城……"中国人民再也不能忍受了，踏着烈士的血迹向前进，一定要把凶恶的敌人赶出去。

105

上海和古长城的烽火

十九路军血战黄浦江
二十九军死守在长城上
忘不了抗日英雄吉鸿昌

日本在东北尝了甜头，真得意极了。心里想：哼，中国这样好打！趁蒋介石抱着不抵抗主义，就赶快打进去吧。三下五除二，把整个中国都占了，多好！

这个贪心的强盗，连一分钟也不愿意多等。"九一八事变"刚过去四个月，1932年1月28日，他们又急不可耐地制造了"一二·八事变"。

这一次，猖狂的日本强盗把进攻的矛头对准长江口的上海。得意洋洋地叫嚷，只要4个小时，就可以占领这个东方大都市，给躲在南京的蒋介石一个下马威，三个月就可以灭亡中国。

他们的如意算盘打错了。做梦也没有想到，在这里碰了一个大钉子。驻守在上海的第十九路军，在爱国将领蔡廷锴、蒋光鼐的带领下，给了这些强盗一记当头棒。谁让他们到中国来，杀人、烧房子，侵占地方呢？

十九路军打得好！给中国人出了一口气。上海和全国老百姓支持他们，和日本鬼子整整打了一个多月，打死、打伤一万多强盗。敌人的"4小时占领上海"的牛皮吹破了，不得不赶快派兵增援，换了三个司令官，也没有打败中国。

如果照这个样子打下去就好啦！准会把野心勃勃的日本强盗踢下大海。像他们的老祖宗倭寇一样，不养好伤口，别想再来侵犯中国东南沿海。

想不到的是，打到最后，还是凶恶的日本强盗占了上风。

帮助这伙强盗的，又是蒋介石的"不抵抗主义"。

十九路军在上海打仗，蒋介石害怕得要命。担心这会惹恼了日本，一口气打到南京，要他的命。十九路军不听话，就不派兵增援，也不给他补充弹药、粮食，让他们孤军奋战，自己对自己的行为负责。到时候，他可以对日本说，这件事和自己没有关系。

十九路军的子弹越用越少，死伤越来越多，实在没法再打下去，只好忍痛从上海撤退。蒋介石生气地把他们调到福州，叫他们去"围剿"江西中央苏区的共产党。

为了解决这件事，蒋介石答应了日本的条件，慌里慌张签订了卖国的《淞沪停战协定》。承认上海是非武装区，中国不能在上海附近驻兵，日本可以派兵驻扎在这里。这算怎么一回事？十九路军的血白流了，上海也变成了日本荷包里的东西。

日本在这里占了便宜，又回过头来从北方动手了。

这一次，它瞄准的是蒙古和整个华北，要把黄河以北的半个中国，都一口吞下去。

1933 年，刚翻开第一天的日历，日本强盗就迫不及待地动手了。来了个元旦炮打山海关，占领了这道通向关内中原大地的大门。蒋介石急了，连忙派外交部长去和日本秘密谈判。

关上门，鬼鬼祟祟地谈判什么？

原来是让中国军队乖乖地退出热河省（热河是从前的一个省，在长城的北边，包括今天的河北省和内蒙古自治区的一部分。）为了防备日本强盗跨过长城再往里闯，还把北京故宫里的一些珍贵的文物运走，做好了连北京也送给日本的思想准备。

谈好了条件，就打热河了。国民党的热河省主席汤玉麟听说日本兵来了，打开城门就跑。日本只派了一百多个兵，不放一枪，就占领了热河省会承德。不用几天，吞掉了热河全省。

现在挡在日本强盗面前的，是两千多年前的万里长城了。这伙填不满贪婪肚肠的强盗没有停住脚步，气势汹汹地朝长城冲来，丝毫没有收兵的样子。

万里长城，自古以来就是北方的边关，背后是北京、天津和富饶的中原大地，决不能再后退半步！

镇守在长城喜峰口的二十九军军长宋哲元将军忍不住了，张牙舞爪的敌人就在面前，还讲什么"不抵抗主义"？守住关口，对准敌人就打，不准日本强盗过关。

防守冷口和古北口的军队，也和敌

人打起来了。古长城上硝烟弥漫，一些官兵的武器不好，只好提着大刀和敌人干，展开了一场壮烈的长城保卫战。

前方打仗，后方要支援。蒋介石正在江西攻打红军，哪有心思抽调部队到北方去抵抗日本鬼子？他板起面孔对部下说："没有消灭共产党以前，谁也不许说抗日。要不，就要重重惩罚！"

保卫长城各道关口部队盼不来援兵，只好接受蒋介石的命令，忍痛往南撤退。让日本兵翻过长城，打到北京附近几十里的地方，天津也非常危急，日军却并不马上攻城。让人们的心都蹦到嗓子眼儿上，不知道往后还会出现什么可怕的事情。

这时候，日本又在长城北边，顺着辽阔的蒙古高原往西打，一直闯进察哈尔省（察哈尔省，在今天的河北、内蒙古一带）。它没有忘记蒙古，想把整个蒙古高原都变成它的地方。

驻守在这里的爱国官兵不买它的账。蒋介石不打他们自己打。在察哈尔

省会张家口组织了抗日同盟军，推选冯玉祥做总司令，方振武和共产党员吉鸿昌做前线指挥，和日本侵略军开仗。消息传出去，四面八方的抗日队伍都开来了，大家磨拳擦掌，要和凶恶的敌人干一场。

丢掉蒋介石的"不抵抗主义"的紧箍咒，抗日同盟军松快多了，想怎么打，就怎么打，根本就不听蒋介石的指挥。这一次，不是摆着挨打的防守架势，而是握紧愤怒的拳头，痛痛快快打出去，收复了许多地方。

吉鸿昌最勇敢，打仗总是冲在最前面。攻打草原古城多伦的时候，他手提大刀，带领敢死队爬上城头，朝日本鬼子猛冲猛打。日本人从来没有见过这样的猛将，被杀得人仰马翻。抗日同盟军经过一番血战，终于收复了多伦城，全国老百姓高兴极了。

察哈尔抗日同盟军正在接连不断打胜仗，蒋介石又钻出来了。说他们是没有批准的"非法"组织，还混进了共产党，必须解散，从前线撤退。

唉，日本鬼子没法做到的事情，蒋介石却帮助他们做到了。

冯玉祥被迫辞职，离开了前线。

蒋介石立刻派兵，和日本鬼子前后夹攻这支抗日军队。最后，把它打散。方振武逃出去了。在天津吉鸿昌被捕，牺牲在蒋介石的屠刀下面。

爱国英雄吉鸿昌走向刑场的时候，无比悲愤地写下了一首诗：

恨不抗日死，

留作今日羞。
国破尚如此，
我何惜此头！

蒋介石屠杀吉鸿昌，和秦桧谋害抗金英雄岳飞有什么差别？一场轰轰烈烈的抗日烈火，就这样被扑灭了。真使人气愤啊！

到这里，事情还没有完。

在日本的胁迫下，蒋介石转过身子，居然叫何应钦派人，和日本的关东军副参谋长冈村宁次签订了一个卖国的《塘沽协定》。彻底出卖华北的主权，禁止一切抗日活动，好让日本鬼子自由自在地吞并华北地方。

日本用大特务土肥原贤二的鬼点子，像在东北一样，也找了一些无耻的汉奸，在河北省东部和蒙古，成立傀儡政权。长城内外一大片地方，就这样悲惨地沦陷了。

二万五千里长征

红军跨过万水千山
不怕敌人的阻拦
开到抗日最前线

　　井冈山的革命烈火越来越旺，周围的穷苦老百姓都盼望着红军，也想打地主、分田地，像井冈山那样干起来。

　　这是发展革命的好机会，在党的领导下，到1930年底，全国已建立了十余块革命根据地，红军发展到十万人。

　　蒋介石再也坐不住了，立刻调了十万大兵，急急忙忙赶来"围剿"。这伙蠢头蠢脑的敌人，没有把红军放在心上，耀武扬威开过来，只顾往里硬闯。中了毛泽东和朱德"撒开两手，诱敌深

入"的计策。被红军团团包围，打了一个大败仗，前线总指挥张辉瓒也被活捉了。

　　蒋介石气坏了，又接连派兵来打红军。

　　第二次"围剿"，派兵二十万。

　　第三次"围剿"，派兵三十万。

　　第四次"围剿"，派兵五十万。

　　他做梦也没有想到，派了这样多的兵，加上他亲自出马也不管用，还是打不过红军，一次又一次败下阵来。

　　最后，他横了心，调了一百万大

军，两百架飞机，请了德国法西斯军事顾问出主意。修了坚固的防线，把中央苏区团团围住，稳住阵脚一步步向前推进。想把红军挤在最后一小片地方上，一下子全部消灭光，真毒辣极了。

凶狠的敌人比红军多得多，该怎么办？

依毛泽东的办法，应该跳出敌人的包围圈子，转到背后去，瞅准了敌人的软肚皮狠狠打，不能让敌人牵着鼻子转。从第一次反"围剿"到第四次反"围剿"，就是用这种办法打赢的。

可是，现在却不行了。这时候的负责人博古，不听毛泽东的正确意见，他不懂打仗，只听共产国际派来的李德的话。李德虽然参加过第一次世界大战，有一些打仗的经验，可是他刚到中国来，不懂得中国的革命战争和他见过的欧洲战场有很大的不同，什么都按自己的老经验办事。

敌人人多武力强，应该用毛泽东的办法，和敌人绕着圈子打运动战才对。他却提出一条条响当当的错误口号：

"把敌人挡在大门外面！"

"不放弃根据地一寸土地！"

这些口号听起来似乎很有道理，用起来就出毛病了。

敌人从四面八方打来，不想办法冲出去，反而分兵把守，挖了战壕死守硬拼。原来不想打烂家里的坛坛罐罐，拼到最后却打烂了更多的坛坛罐罐，还牺牲了许多人，真不上算。

更加危险的是，如再这样被敌人牵着鼻子打下去，剩下的红军真的会被打

111

光，让敌人扑灭革命的火种，那就糟糕啦！

这场仗打得很凶，打得很久，中央苏区剩下的地方越来越少，再不冲出去，不行了。

1934年10月，当时的中共中央领导人终于下了决心，应该暂时离开这里突围出去。

突围计划是这样的。

红军主力部队保护着后方机关，一共有八万六千多人，向西边冲出去，到湖南省西部去，和贺龙领导的红军第二军团、任弼时领导的第六军团会合，开辟新的革命根据地。只留下项英和陈毅，带领一些人留在根据地打游击。

长征，就这样开始了。

往前走，很困难啊！队伍带的东西太多，还搬着一些笨重的印刷机和军工机器，八万多人挤在一起，走得很慢。前面横着滚滚的湘江，敌人在那里布好了阵，等待着红军过关。

如果按毛泽东的办法，早把这些坛坛罐罐扔掉，趁敌人还没有布好阵，从缝隙里钻出去，就可以自由自在往前走啦。可是当时的领导人不这样办，错过了时机，被敌人堵在湘江边。红军战士非常勇敢，一点儿也不害怕敌人的飞机、大炮，更没有把湘江放在眼里。往前冲啊，冲啊，一口气冲破了敌人的四道防线，终于冲过了湘江。可是红军牺牲也很多，过了江，只剩下三万多人了。蒋介石眼见红军冲出重围，又

派了几十万大军前堵后追，红军的形势非常危急，博古和李德不肯改变主张，还想带着队伍朝原来计划的目的地冲去。

毛泽东一看，再这样不行啦！突了围，怎么能向敌人多的地方冲？应该赶快转一个弯，开到敌人少的贵州省去。大家赞成这个意见，周恩来立刻在一个叫黎平的地方召开一个会议，肯定毛泽东的主张，红军立刻改变了前进的方向，躲过了一场危险。

红军打到贵州去，使那里的敌人吃了一惊。这些一只手拿烟枪，一只手拿步枪的大烟兵，怎么抵挡得住英勇的红军。红军很快就跨过了比湘江更险要的乌江，打到遵义，甩开了背后的敌人，在这儿好好休整了12天。

有了这宝贵的12天，可以坐下来，认真总结一下经验和教训了。

中共中央政治局在遵义的一幢小楼里，开了一个非常重要的扩大会议。

大家批评了博古和李德的错误，增选毛泽东为政治局常委，由张闻天代替博古全面负责。

大家都赞成毛泽东打仗的方法，选举他和周恩来、王稼祥三个人管军事。在这个危险关头，有毛泽东带兵，胜利就有希望了。

毛泽东带兵，和博古、李德不一样，一点也不死板。一会儿朝东、一会朝西，四次渡过赤水河，转身又渡过乌江。像神通广大的齐天大圣孙悟空一样，在敌人中间穿插，把他们弄得晕头

112

转向,不知道红军到底要开到哪儿去。毛泽东这才瞅着一个空子,带领红军渡过金沙江开向北方。

前面是高高的大、小凉山,住着彝族同胞。他们非常惊奇地瞧着这支打着红旗的军队,和从前见过的汉族军阀部队大不相同。不欺侮老百姓,非常尊重少数民族的风俗习惯。部落头领小叶丹,高高兴兴和红军将领刘伯承一起喝了血酒,结拜为兄弟,帮助红军顺顺利利过了这道险恶的大山。

再往前走,队伍被湍急的大渡河挡住了去路。

大渡河翻滚着、咆哮着,从山里流出来。两边是又高又陡的悬崖绝壁,想翻也翻不过去。红军只能沿着河边的小路往前走,寻找过河的地方。从前,

太平天国翼王石达开的队伍在这里过不了河,被清军全部消灭。蒋介石高兴了,认为这是一个好兆头,也想在这里消灭红军。办法很简单,只消牢牢把守住各个渡口,不让红军过河就得啦。

他的算盘打错了。做梦也没有想到,红军不是石达开,大渡河天险也挡不住他们前进的脚步。

奔腾在高山峡谷里的大渡河,有两个重要的渡口。一个是安顺场,一个是泸定。安顺场是从前石达开部队全军覆没的地方,泸定只有一道摇摇晃晃的铁索桥连接着两岸,全都易守难攻。国民党的防守军队认为,这是两个老虎口,红军插翅也别想飞过来。

谁知,十七个红军勇士竟在敌人的眼皮下面强渡过河,撑着小船,渡过

113

遵义会议会址

大渡河铁索桥

来一支部队。大队人马赶到泸定桥头，敌人收了桥上的木板，只剩下几根在风里摇晃的光溜溜的铁索。二十二个红军勇士冒着对岸敌人的炮火，紧紧抓住铁索，一步步爬了过来，占领了这座铁索桥，把敌人打得大败，全体红军都过了河。

红军接着往前走，翻过空气稀薄的大雪山，走过到处都是陷人的泥潭草地。肚子饿了没有吃的，就拔野草、煮皮带吃。口渴了，没有水喝，就抓一把雪吞下去。终于走出了危险的无人区，在四川省西北部，和从大巴山开来

的红四方面军会师了。

红四方面军在野心家张国焘的带领下，想掉转头往南边走回头路。结果没有成功，只好再转身朝北走。路上和贺龙带领的红二方面军会师，最后终于又和毛泽东带领的红一方面军在陕北根据地会合，结束了伟大的长征。

算一下他们走过的路，总共有二万五千里，真了不起啊！

红军经过长征，走上了北方的抗日前线，中国历史又要翻开新的一页了。

这一章讲的是什么故事

听，西安响起了愤怒的枪声。张学良、杨虎城抓住蒋介石，逼着他打日本。

七月七，日本鬼子扛着膏药旗，卢沟桥边来惹事，爆发了战争。

"八·一三"，日本鬼子开军舰，狠狠攻打上海滩。妄想只用三个月，要把中国都占完。

日本野兽兵，闯进南京城。砍、砍、砍，杀、杀、杀，杀了几十万中国人，这笔血债要记清。

中国军队挺起胸膛，开到前方打一场。平型关、台儿庄，打得鬼子哭爹喊娘。游击健儿显身手，高山上、青纱帐，都是埋伏的好地方。地雷战、地道战，打得鬼子团团转，瞧见"八路"吓破了胆。

　　汪精卫开了小差当汉奸。蒋介石干脆朝着新四军打，本是同根，却要相煎。

　　抗战，抗战，打了整整八年。日本鬼子投降了，全国人民真喜欢。

　　胜利了，停战了，老百姓盼望和平好心焦。实在想不到，老蒋又要打仗了。拼命进攻解放区，要把共产党消灭掉。

　　打吧，打吧，看谁打掉谁的牙。辽沈、淮海、平津三场大战，老蒋输光了本钱，看他怎么办。

　　解放大军过长江，风扫落叶不可挡。除了台湾和西藏，全国都解放。

　　五星红旗飘起来，中华人民共和国成立了，新的历史开始了。

张学良　　　　　　　　杨虎城

西安事变

117

张学良、杨虎城抓住老蒋
共产党主张不打内战
联合起来，抵抗小东洋

一张书桌有多大？

整个华北放不下一张书桌了，你相信吗？

嘻嘻，书桌不大呀，我们的教室里就有好几十张书桌。华北好几个省，怎么会放不下一张书桌呢？

孩子们，你们不明白，那时候日本强盗占了东北，又把魔爪伸到华北来，到处都可以瞧见凶神恶煞的日本兵。得意洋洋地打着膏药旗开来开去，把华北当成他们的新练兵场。请

问你，有血性的中国孩子啊，在这样的环境里，能够放下一张平静的书桌，安心读书吗？

中华民族已经到了最危险的时候。

不愿意做亡国奴的人们高声喊叫着："工农兵学商，一齐来救亡"。

中国人啊，再也不能做一盘散沙。赶快团结起来，枪口对外，一起抵抗日本帝国主义吧！

红军最明白这个道理。刚经过二

万五千里长征到了陕北，连气也没有喘一下，就渡过黄河，想开到形势最危急的河北省，抵抗日本强盗。可惜山西军阀阎锡山不让他们经过，说破了嘴皮也不肯借一条路，硬往前走，就会打起来。大敌当前，中国人不能自相残杀，红军只好压着性子退回来，心里像火煎一样焦急。

更加气人的是，蒋介石到了这个时候，还放着日本不打，咬牙切齿要打红军。他派东北军的统帅张学良、西北军将领杨虎城，从西安往北进攻陕北的红军。他们不是红军的对手，被消灭了许多人马。

东北军流着眼泪离开了家乡，做梦也想打回老家去，却被老蒋派到这里打内战，许多人做了炮灰，心里很想不通。干脆放下枪不打了，和红军交朋友，等着一起打日本鬼子。

张学良对蒋介石说："这个仗不能再打了，让我们去打日本鬼子吧！"

想不到蒋介石不听他的话，反而当众把他臭骂一顿。说他"是非不明"，像他这样的军人"不忠不孝"，一定要惩罚。蒋介石亲自赶到西安，还开了许多军队来，逼着他们打红军。

蒋介石对张学良、杨虎城训话："你们到底打不打？不打，就调到南方去，让别的部队来打。"

东北军和西北军进也不是，退也不是，真不好办。张学良抱着最后一

线希望，去劝蒋介石，对他说不能打内仗，应该和红军联合起来，一起打日本鬼子的道理。张学良流着眼泪说了整整一个下午，蒋介石一句也听不进去，发了脾气拍桌子说："你别说啦！你现在用枪把我打死，我要打共产党的主意也不会改变。"

张学良绝望了，闷沉沉地回到西安城里，和杨虎城商量，眼下到底该怎么办？他们横了心，看来只有用枪口逼着蒋介石，叫他下命令打日本了。

第三天，是十二月九日。一年前的今天，由于日本在华北一步步逼进，国民党政府低声下气，接连签订了好几个卖国协定。把华北的许多权利都出卖给日本。殷汝耕一帮无耻的汉奸，在日本的指使下，又打起了"华北五省自治"和"防共自治"的旗子，要把华北变成日本的殖民地。北京的爱国学生们坐不下去了，冲上街头举行了反对日本帝国主义的"一二九运动"。到了这个时候，蒋介石还要打内战，不打日本鬼子，西安的爱国学生也忍不住了，高声喊着口号，浩浩荡荡往蒋介石住的地方开去，要求打日本。

蒋介石听说，连学生也反对他，气得给张学良下命令，不要和他们多说，一律"格杀勿论"。

张学良接到命令，心情非常沉重，连忙赶到学生游行队伍的面前，劝他们不要再往前走了。

学生们说："我们要抗日，有什

么错?"

他们问张学良:"你的家乡被日本占领了,难道不想打回去吗?"

张学良激动地回答说:"请你们相信我,我一定要用事实来答复你们。"好不容易才把学生们劝说回去,躲过了一场血腥的屠杀。

12月12日,天还没有亮,张学良和杨虎城动手了。派兵包围住蒋介石住的华清池,冲进去抓他。

蒋介石正睡得香,听见枪声,知道出事了。他连衣服和鞋子也来不及穿,光着脚就逃出来。前面有兵冲进

来了。只好往后面跑。一个警卫帮他翻过墙,把背脊骨跌伤了,脚也流血了,一跛一拐地没法再跑。只好爬上山,狼狈万分地钻进一个窟窿躲起来。

张学良派来的兵冲进蒋介石的房间,瞧见地板上扔着鞋子,茶杯里泡着假牙。用手一摸,被窝里还有热气,知道他还没有走远,立刻动手,到处搜查。最后找到后面的山上,像抓小鸡似的把他在从石头窟窿里拖出来。

第二天晚上,张学良派人把他押

到城里来。蒋介石瞧见一个军官带了几个卫兵，别着手枪走进来，以为要枪毙他，吓得脸色变得煞白，钻进被窝高声喊叫："我不到别的地方去，要死，就死在这里吧！"来的官兵见了真好笑，想不到这个平时架子摆得很大的"最高统帅"，竟是这样的一个脓包，只好忍着笑，耐心给他讲清楚了，才叫他放下心跟着一起进了城。

张学良、杨虎城发动的"西安事变"，惊动了世界，国民党内部闹成一团糟。

手握兵权的何应钦主张打，带兵打到西安去，讨伐张学良和杨虎城。他装成慷慨激昂的样子，其实肚皮里藏着自己的小算盘。派飞机轰炸西安，炸死了蒋介石，他才好接班上台，自己当大头领。

日本站在旁边看热闹，也巴不得两边打起来，它就能不费气力占领中国了。

国民党内另外一些人却不这样想。蒋介石的夫人宋美龄吓坏了，求大家别听何应钦的，千万不要开仗。连忙和她的哥哥宋子文赶到西安，想把蒋介石救出来。美国和英国担心日本独吞中国，也反对武力解决的计划。

这伙人闹嚷嚷的，都为了蒋介石。蒋介石在张学良和杨虎城的手里，大家都眼巴巴地瞧着他们，不知他们打算怎么办。

张学良和杨虎城早就想好了。抓住蒋介石，就通知了陕北的中共中央，请他们赶快派人来，一起商量怎么处理蒋介石。

啊哈，铁了心肠和人民作死对头的蒋介石终于落网了，真是大快人心呀！开一个公审大会，杀掉他吧！

不，中共中央仔细分析了眼前的形势，觉得不能这样办。

蒋介石虽然很坏，却是国民党的头子。如果杀了他，国民党内部争权夺利的打起来，日本就可以趁机捡便宜了。

再说，他是美国和英国的代理人，和一些死心投靠日本的还有些不同。美国和英国不甘心日本独霸中国，有可能支持蒋介石反对日本的。

这时候大敌当前，中国必须团结起来，一起抵抗最凶恶的敌人日本强盗，千万不能四分五裂乱成一团糟啊！

中共中央看清楚了形势，立刻派周恩来带了一个代表团，赶到西安，想办法和平解决这个问题。在中共代表的鼎力周旋下，才说服了"逼蒋抗日"的张学良和杨虎城，没有杀掉蒋介石。

宋美龄和宋子文瞧见周恩来带领代表团到了西安，心里紧张得要命。仔细一打听，才松了一口气。想不到共产党这样讲道理，一切都从民族利益出发，毫不计较从前的仇恨。

周恩来对蒋介石说，只要停止内

战，一致抗日，共产党可以和国民党重新合作，像从前北伐战争的时候一样。

这时候的蒋介石，是倒了威的公鸡，只好老老实实点头答应了。并且拍着胸口保证，决不追究张学良、杨虎城的责任。

除了别有用心的何应钦和日本有些失望，所有的人都松了一口大气。一场危机，终于被宽宏大量的共产党顺利解决了。

所有的人里，数张学良、杨虎城最高兴。天真的张学良心里想，这下可好啦! 他马上就可以带着东北子弟兵，打回白山黑水老家去了。为了推动蒋介石抗日，他决定亲自送蒋介石回南京，早些定好抗日救国的计划。

他走得太匆忙了，还来不及和朋友们好好商量一下。周恩来知道了，心里想，坏啦! 蒋介石非常阴险，张学良跟他走，一定会吃亏。连忙到飞机场打算留住他。飞机已经起飞了，只好一踩脚转回身。

周恩来不是白操心。蒋介石回到南京，果真翻了脸，把张学良扣起来。又逼着杨虎城离开军队出国，后来抓住他，解放前夕杀害在重庆的中美合作所里。

虽然发生了这个悲剧，张学良和杨虎城发动的西安事变还是起了积极的作用。

第二年，孙中山的夫人宋庆龄，廖仲恺的夫人何香凝和冯玉祥等一些国民党元老，提出恢复孙中山的"联俄、联共、扶助农工"三大政策，经过激烈争论，终于通过了。国民党不得不和共产党重新合作，结成抗日民族统一战线抵抗日本。

张学良、杨虎城两位将军，人民不会忘记他们的功劳。

卢沟桥的枪声

122

> 七月七，来了日本兵
> 假装演习，攻打宛平城
> 遇着不肯后退的二十九军

卢沟桥上的石狮子，谁数得清？

卢沟桥下的流水，流淌着多少民族的血泪，呜咽着多少冤仇和怨恨？

卢沟桥是北京西南边，宛平城外的一座古老的大石桥，距今已有800年的历史。桥头的碑亭里，耸立着一座汉白玉的石碑，上面雕刻着"卢沟晓月"四个字，是古时候的"燕京八景"之一。500多年前，从意大利来的旅行家马可·波罗经过这里，称赞它是"世界上最好的、独一无二的桥"。

它多么雄伟，多么有名气啊！

时光悄悄流逝着，不知不觉到了20世纪30年代，想不到在这儿又演出了一幕悲壮的历史，使人们永远也不会忘记。

那时候，日本强盗在华北一步步往前逼进着，翻过长城，从东、西、北三面包围了北平（北平，就是北京）只留下西南边一条路，经过卢沟桥和外面相通。如果把这里卡断，古城北平就成为一座"孤岛"了。

日本想占北平，在河北省和察哈

尔省(这是从前的一个省,省会在张家口)搞"特殊化",就不会放过卢沟桥。他们在附近的丰台驻扎了一支军队,随时开出来,在卢沟桥边演习,想找机会把这座大石桥弄到自己的手里。

守在这里的中国军队,是29军的一个团,团长叫吉星文。官兵们早就在长城的一个关口喜峰口打过日本鬼子,对敌人恨得咬牙切齿。他们心里非常明白,这座桥千万丢不得。丢了它,就会丢掉北平,整个华北都危险啦。

守桥的官兵们时刻警惕着敌人偷袭卢沟桥。每天吃饭、睡觉的时候,都要高声宣誓:"宁为战死鬼,不作亡国奴!"决心守住这座非常重要的大石桥,不让敌人得到它。

日本强盗耐不住性子,摩拳擦掌打算动手了。

1937年的日历刚翻到7月,日本东京的重要人物间就悄悄传出一个秘密消息,他们鬼头鬼脑地交头接耳说:"嘻,等着瞧吧,7号晚上,卢沟桥就会发生一件新的柳条沟事件(1931年9月18日晚上,日本在沈阳郊区柳条沟制造摩擦,侵占东北)"。

瞧,他们早就准备好了,一切都按预先安排的计划进行。

头一天,他们先提出来,要穿过桥边的宛平县城,到长辛店去演习,中国军队当然不答应。日本鬼子碰了一个钉子,满肚皮不高兴退了回去。

到了7月7日,他们又开出来演习。带着坦克、大炮,哇哩哇啦又喊又叫,逼到卢沟桥和宛平城边,气焰非常嚣张。中国军队连忙关上城门,警惕地监视他们的行动,看这伙强盗怎么表演。

到了半夜,日本人忽然大叫大嚷,说有一个兵不见了。准是被中国军队抓进城了,气势汹汹要到城里来搜查。

真是岂有此理!宛平城早就关得紧紧的。日本少了一个兵,和中国有什么关系?如果让他们进城,他们就会赖着不走了。中国军队毫不客气地拒绝了这个无理要求。

谁知,双方正在谈判,日本鬼子就打了起来。一颗颗炮弹飞进城,鬼子兵一窝蜂扑了上来,以为这就可以吓倒中国军队,达到他们的目的。守城的中国军队早就憋足了一股气,立刻动手还击,打退了敌人第一次进攻。

日本鬼子硬打不行,又派代表来谈判,厚着脸要中国军队立刻退出城,让他们彻底搜查。还要赔偿他们的损失,惩罚带头抵抗的军官。

中国代表火了,教训他们说:"你们说丢了一个兵,有什么证据?你们开炮打死打伤许多中国老百姓,才该认错赔偿呢!"

敌人眼看谈判也不行,又打了起来。硝烟弥漫着宛平城和卢沟桥,一场更加猛烈的战斗爆发了。卢沟桥的

123

中国军队只有一个排，面对黑压压一大片冲上来的敌人，形势非常危急。他们没有后退，依靠简单的防御工事，沉着冷静地抵抗，一个接一个倒下去，直到最后一个人。

日本鬼子占领了桥头阵地，得意洋洋地插上了膏药旗，自以为打胜了。谁知，另一头的中国军队立刻反攻过来，把他们赶下了桥。双方你来我往，展开了激烈的争夺战。

第二天晚上，天下着小雨，一支提着大刀的敢死队趁着夜色摸过桥，冲进了敌人的阵地。战士们气虎虎的瞪圆眼睛，挥舞着寒光闪闪的大刀，像砍倭瓜似的，砍掉一颗颗鬼子兵的脑袋。有的敌人吓掉了魂，丢了枪，跪在地上求饶，半点威风也没有了。

日本鬼子打不赢这场仗，只好

说，失踪的那个日本兵已经找到了，大家停火吧！他们假装撤退回营，说中国军队不讲理，要求守卢沟桥的部队也要撤出阵地。谁知，上面的大官接受蒋介石"忍辱负重"的指示，居然接受了日本的条件，命令战斗在卢沟桥的官兵立刻撤退，把阵地交给没有战斗经验的保安队。

消息传到前线，桥头的官兵们忍不住放声痛哭了。他们凭着满腔爱国热情，用简单落后的武器和敌人硬拼，已经浴血奋战了十多个昼夜。许多战友流尽了最后一滴血，光荣地为国捐躯，怎么能够离开神圣的阵地呢？

一个受了重伤的营长说："保卫国土，是军人的天职，让我带领战士死在桥上吧！"

卢沟桥的中国军队，依靠简单的防御工事，沉着冷静地抵抗敌人。

可是，命令就是命令。他们没有办法，只好流着眼泪离开卢沟桥，满足了敌人的无理要求。

中国往后撤兵，日本却趁机往前线调兵，一下子就调来五个师团，摆出要打一场大战的架势，傲慢地向中国提出最后通牒。

这一次，他们的胃口更大了，限定日期要中国军队退出北平。中国军队不答应，仗就打了起来。

守卫北平的 29 军奋勇抵抗，副军长佟麟阁和师长赵登禹，都英勇牺牲在战场上。因为人少、武器不好，打了好几天，古城北平终于沦陷了。接着，敌人又占领了天津，气势汹汹的想趁势吞并华北和整个中国。他们自以为"卢沟桥事变"和"柳条沟事件"一样，不费气力就可以达到目的的。

他们打错了算盘。

卢沟桥的枪声震动了整个中国。人们发出愤怒的吼声："打倒日本帝国主义！"给抗日将士打气。

在全国老百姓的推动下，蒋介石也不得不改变了口气，再也不说什么"不抵抗主义"了。在庐山发表演说，提出"地无分南北，人无分老幼，对日本抗战到底。"

请记住"七七事变"。

从这一天起，神圣的抗日战争开始了。

卢沟桥事变刚过了一个月，日本在上海又动手了。

这一次，它的打算是在南京旁边狠狠敲打一下，逼迫中国投降。

125

淞沪大会战

八月十三，血战上海滩
八百壮士真勇敢
多少故事说不完

1937 年 7 月 27 日，日本开始从长江沿岸撤退侨民。

过了两天，它的参谋总部决定，必要的时候，应该在青岛和上海登陆作战。

8 月 9 日，东京一家报纸发表文章说："南京政府的军队没有遭到毁灭性打击以前，是不会认真要求和平的。"

就在这天晚上，日本像在柳条沟和卢沟桥一样，又向中国军队找碴，挑起新的战争事件了。

一个日本军官带了一个兵，开着汽车，硬往上海虹桥的中国空军机场里面闯，想侦察中国的军事情报。卫兵挡不住这两个蛮横的家伙，只好开枪把他们打死了。

日本抓住这件事大叫大嚷，说它受了中国的欺侮，立刻调了许多军队在上海登陆。八月十三日天刚亮，突然对中国军队进攻。飞机、大炮对苏州河北面的上海闸北市区狂轰滥炸，

126

打死了许多中国老百姓。闸北变成一片火海。

第二天，日本政府板起面孔发表声明，说了中国许多坏话，宣布要采取"断然的措施"，狠狠惩罚不听话的中国。派松井石根大将做司令官，带领三十万大军，攻打号称"东方大都会"的上海。

上海非常重要，蒋介石当然舍不得丢掉它。

这一次，他拿出了全部老本。海、陆、空军一起上，把所有的嫡系精锐部队都开上来，自己当总司令，要和日本打一仗。

"八一三"淞沪抗战，就这样爆发了。

敌人在闸北也驻扎了一些军队，自以为中国军队不敢碰它们。谁知，这次中国动了真格的，一动手就把这些躲在市区的鬼子兵揍了一顿，包围

抗日战争

小知识

1937年7月7日，日本挑起卢沟桥事变，抗日战争全面爆发。到1945年8月日本战败投降为止，中国人民进行了长达8年的艰苦卓绝的抗日战争。中国的抗日战场也是东方反法西斯的主要战场。

八年抗战，中国抗日军民共消灭日军130余万人，消灭伪军118万人，取得了战争的最终胜利。但是中国人民也作出了巨大的民族牺牲。

在一小块地方，给了他们一个下马威。

外面的敌人赶来援救，必须要过黄浦江口的吴淞炮台和宝山县城。这里有一营中国军队把守，别想顺顺当当过去。

日本调来了三十多艘军舰，加上天上的飞机，对准中国军队的阵地猛轰，掩护着大军登陆，直朝宝山县城扑来。一排排炮弹和天上落下来的炸弹，把阵地打得稀烂，中国军队一步也没有后退。整整打了两天两夜，营长姚子青和五百多个官兵都牺牲了，他们用自己的鲜血写下一篇壮烈的历史。

接着，敌人又在宝山两边的罗店一带登陆，也遇着中国军队的顽强抵抗，才知道这块骨头不是那样好啃的。他们本想三天占领上海，三个月占领全中国，想不到在上海外围就打了两个多月，"速战速决"的美梦破灭了。

敌人没有办法，只好用军舰封锁住长江口，再调许多兵，悄悄从上海背后的杭州湾登陆，包抄上海的中国军队。

他们调了八十多艘军舰，悄悄开到杭州湾的金山卫地方，突然开炮登陆，直朝上海背后杀来。

糟啦！中国军队被前后夹攻，一下子乱了套。再死守在原来的阵地上，必定会被包围消灭，只好忍痛撤出了大上海。

127

鬼子兵打进上海的时候，还有四百多个中国官兵没有撤退出来。

他们留在后面抵抗敌人，边打边退，最后退到苏州河边。河对面是英国人的租界，再也没有半步可以退了。

这是 88 师的一支部队，带队的军官是团副谢晋元。他对大家说："我们不能再退了，就留在这里和敌人拼了吧！"

苏州河边有许多坚固的大房子。他们退到一座叫"四行仓库"的七层大楼里，用沙包把门窗堵得紧紧的，筑起坚固的阵地，准备抵抗敌人。

整个上海都沦陷了，他们能守住一座孤零零的楼房吗？

谢晋元对前来采访的记者说："以身殉国是我们军人的天职。哪怕只剩下一支枪、一颗子弹，也要和日寇打到底！"

多么豪壮的誓言啊！人们把他们和古代田横带领的八百勇士相比，尊

敬地叫他们"八百壮士"。

趾高气扬的鬼子兵开进上海，瞧见这儿还有一支中国军队，不投降，也不后退，气得呀呀直叫。从三面围住攻打，想一鼓作气消灭他们，在全世界面前显一下威风。

这是一个特殊的战场，特殊的舞台。

隔着狭窄的苏州河，租界里成千的中国老百姓和许多中外记者，亲眼看见了这场敌我力量悬殊的战斗。看中国的爱国官兵是怎样抵抗敌人的。

日本鬼子仗着人多势众，一窝蜂冲上来，被沉着应战的"八百壮士"打了回去。河对面的中国老百姓见了，高兴得大声叫好。

打得好! 再照这样狠狠地打。

敌人恼了，开着飞机、坦克和汽艇，架起机枪和大炮，水、陆、空一起朝四行仓库进攻。隔岸观战的老百姓捏了一把汗，为"八百壮士"着急。可是等到硝烟散尽，壮士们死守的四行仓库依旧屹立在河对岸，丝毫也没有损伤。

为了表达租界里老百姓的心意，一个女学生冒着敌人的炮火，偷偷渡过河，把慰问信送到"八百壮士"的手里，更加鼓舞了他们战斗到底的决心。

这场特殊的战斗整整打了四天。"八百壮士"打退了敌人好几十次进攻，打死打伤几百个鬼子，自己只牺牲了九个人。后来接到命令，才趁着

夜色撤退到租界里。谢晋元拒绝了日本鬼子一次次劝降，不幸被一个叛徒谋害了。"八百壮士"的故事传遍了全世界，让所有的人都知道，中国人不是好欺侮的。

在上海保卫战里，年轻的中国空军也留下了许多感人的故事。

"八一三"刚开战，第二天，空中勇士高志舰就带领着战友们，在杭州湾的上空打了一个漂亮仗。把日本的木更津航空联队打得落花流水，敌机一架接一架拖着浓烟栽下去，来了一个"六比零"的"八一四大捷"。

日本鬼子不服输，八月十五日又飞来60多架飞机，想不到又被打掉了17架。其中仅乐以琴一个人，就打落了4架。木更津航空联队的联队长没话可说，只好握着军刀剖腹自杀了。

又过了两天，几架中国飞机轰炸上海前线的日军司令部，有一架不幸被高射炮打中了。空中散开一朵白花，一个飞行员跳了下来，这是生长在松花江畔的阎海文。敌人端起枪从四面围上来，要抓他当俘虏。叫一个汉奸大声喊话："投降吧! 支那空军朋友，我们会保证你的生命安全。"

阎海文趴在一座坟包后面，举起手枪，瞄准着越冲越近的敌人。接连打倒了十几个鬼子，把那个汉奸也打死了。剩下最后一颗子弹，才对准自己的太阳穴，不慌不忙勾动了扳机。

日本鬼子也很佩服他，给他修了

129

一座坟，墓碑上恭恭敬敬写着"支那空军勇士之墓"。

还有一个空中勇士叫沈崇海，在海上轰炸敌人的军舰。炸弹和机枪子弹都用完了，干脆挑一艘日本大军舰做靶子，架着飞机俯冲下去。用自己的身体和飞机做最后一颗"炸弹"，轰的一声撞在军舰上，和敌人同归于尽。

因为蒋介石指挥得不好，淞沪抗战最后失败了。可是无数抗日将士却用自己的爱国心，谱写了一曲曲慷慨壮烈的悲歌，中国人民永远也不会忘记他们。

南京大屠杀

鲜血染红了南京城
谁能算清，这儿有多少冤魂
牺牲了多少中国人

世界上有披着人皮的野兽吗？

有的！打进中国横行霸道的日本鬼子，就是这种没有人性的野兽。

人间有地狱吗？

有的！日本鬼子占领的南京，就是比地狱还恐怖的地方。

龙盘虎踞的六朝古都南京，是当时中国的首都，伟大的民主革命先行者孙中山先生长眠的地方。本来非常美丽繁华，想不到在战火里却变成了活生生的人间地狱。

日本鬼子占了上海后，趁着胜利的威风，得意洋洋兵分两路朝南京扑来。一路上杀人放火，很快就打到南京城下。

南京危急！怎么办？

蒋介石召开紧急军事会议，征求大家的意见。手下的大将都说不能在这里打仗，应该赶快逃出敌人的包围圈才好。只有唐生智愿意留下来死守，蒋介石就把防守的任务推给他，自己一溜烟跑了。

唐生智清点一下守城的部队，还有整整十五万人。虽然比攻城的日本鬼子少，如果好好安排，还可以和敌人拼一下。

谁知，这些部队从上海前线战败退下来，有的垂头丧气，有的丢失了许多武器，完全不能和当时相比了。更加麻烦的是，他们来自天南海北，谁也不听谁的。临时匆匆忙忙上台的唐生智，要想管好这支杂七杂八的大军真伤透了脑筋。

南京保卫战打响了。

1937 年 11 月 13 日开始，不到一个月，敌人就攻破了三道防线。12 月 9 日兵临城下，非常傲慢地给南京城的中国军队下了最后通牒，限定 24 小时之内，打开城门投降。

呸! 中国人才不会理睬呢。

鬼子兵攻城了。首先攻打南面的雨花台和中华门，堵住城里的军队和老百姓往南逃跑的路。守城的军队拼命抵抗，冒着炮火和敌人拼刺刀，一排排倒下去，也没有挡住敌人的进攻。鬼子兵终于攻进了坚固的石头城，和中国军队发生了激烈的巷战。

听说鬼子进了城，城防司令唐生智急了。这时候，好几道城门都被敌人攻破，鬼子兵像潮水般拥了进来。只留下北边的长江渡口，还在中国军队手里。唐生智慌里慌张下了一道命令，叫手下的部队各自突围逃跑。自己抢先一步过了江，撇下全城的老百姓和军队不管了。

这一来，更加乱了套。

军队没有指挥官，不知道该怎么打，也不知道该怎么跑。只好和老百姓一起，一窝蜂拥到江边，争先恐后想过江逃跑。兵顾不上将、将顾不上兵，乱成一团糟。因为船少人多，有的抱着门板就往水里跳，在江心被急流冲翻。还有的船装的人太多，一下子翻了，白白淹死了许多人。剩下来不及逃跑的，都被敌人俘虏了。

1937 年 12 月 13 日，请记住这一天。

日本鬼子占领南京，开始大屠杀了，整整杀了六个星期，不知杀死了多少中国人。

请看，这些野兽怎么屠杀我们的兄弟姐妹。

他们开着坦克进城，被城外又宽又深的战壕挡住了，就把许多中国人推下去，填平了壕沟。不管沟里的人是死是活，坦克压着他们的血肉模糊的身子，大摇大摆开了过去。

日本第六师团长谷寿夫是一个大刽子手。这个没有人性的家伙提着战刀，首先带兵闯进南京城。骑在马上向部下宣布："解除军纪三天!"让他手下的强盗们烧杀奸淫，想干什么就干什么。他自己也动手强奸中国妇女，像疯狗一样杀人，给他的部下做榜样。

鬼子兵杀红了眼，闯进老百姓家里，见好东西就抢，见人就杀。谁在街巷里遇见他们，也逃脱不了魔爪。

一条条街道烧光了，到处都是躺在血泊里的尸体，没有留下一个活人。

他们抓住一个吓得大哭大喊的孩子，用力抛在空中，不等孩子落下地，就用刺刀在空中把他接住，扎在刀尖上摔死。

一个怀孕的妈妈没有逃掉。鬼子兵残忍地剖开她的肚皮，看藏在肚子里的小生命是什么样子，再哈哈大笑着，把他和妈妈一起刺死。有的被捆在电线杆和树上，做练习刺杀和枪击的活靶子。

有的浇上汽油放火烧。鬼子们围在旁边观看取乐，直到被烧成焦炭，

133

停止了悲惨的号叫。

他们杀来杀去，嫌动手杀人太麻烦，干脆用枪逼着中国人挖一个大坑，把挖坑的人统统活埋在坑里。要不就绑住人们的手脚。在脖子上吊一块大石头，推下池塘和长江淹死。把人们赶进一间大房子，一把火烧得不留一个活人。

这些疯狂的野兽甚至举行可怕的杀人比赛。

一个日本军官一口气杀了106个中国人，当了"杀人冠军"。另一个日本军官比他少杀了一个，当了"亚军"。两个无耻的野兽居然发出狰狞的狂笑，提着鲜血淋漓的军刀，肩并肩拍了一张照片登在报纸上，炫耀自己的"成绩"。真可恨啊！

零零星星杀人不过瘾，他们还大搞集体屠杀。

成百上千的老百姓和被俘虏的中国官兵，被赶在一起，用机枪扫射，手榴弹炸。有的地方尸体堆得和城墙一样高，浇上煤油烧了好几天。

大刽子手谷寿夫亲自带领手下的鬼子兵，一个晚上就在下关草鞋峡屠杀了五万七千多个中国人。机枪没有打死的，再用刺刀扎，最后浇了油用火烧。来不及烧的，成堆成堆地抛进了滚滚大江，顺着川流不息的江水往下游冲去。

他们杀的中国人实在太多了，几乎把南京杀成了一座空城，周围的五十里也瞧不见一个人影。过了三个多月，江边还漂浮着三万多具腐烂的尸体。用"血流成河，尸骨堆山"来形容，一点也不过分。

除了屠杀，这些野兽还随便强奸妇女，连白发苍苍的老奶奶和七八岁的小姑娘也不放过。说他们是野兽，连野兽都不如。

一些有正义感的外国人非常气愤，连忙打着红十字旗，在城里划了一块"安全区"，想用这种办法来保护难民。野兽心肠的日本鬼子才不讲国际公法呢！大摇大摆闯进来，随意抓走中国人，在"安全区"里照样杀人、强奸，把整个南京变成了活生生的地狱。

他们的眼睛里，哪有什么公理？

他们的身上，哪有半点人的气味？

人们会问：日本鬼子到底屠杀了多久？在南京杀害了多少无辜的中国人？

请你牢牢记住，这是一群杀人不眨眼的野兽，不管在哪儿也改变不了残暴凶狠的本性。

打从这次一开仗，他们在杭州湾金山卫登陆，就开始屠杀中国人。一路上在苏州、无锡、常州、镇江杀过来，只是在无锡附近的一个小小的东亭乡，不到两个小时就烧了上百间房子，杀了两百多人。南京大屠杀，只不过是其中最残忍的一个地方。

南京大屠杀以后，日本鬼子就收起屠刀了吗？

不，八年抗日战争中，残暴的日本强盗不知道杀了多少中国人。1941年，这些强盗在华北的一次次"大扫荡"，实行"烧光、杀光、抢光"的"三光"政策，就杀了300多万我们的同胞。如果从"九·一八"算起，更加算不清了。

残暴的日本强盗，哪一天改变过他们的野兽本性呢？

人们说，日本强盗在南京屠杀了30万中国人，其实远不止这些。

1947年3月10日，远东国际军事法庭在战犯谷寿夫的判决书里说，日本军队集体屠杀的中国人，焚尸灭迹的有19万多人。零零星星屠杀后掩埋的有15万多人。加起来，起码也有三四十万人。经过调查，后来又发现了许多被残杀的中国同胞，总共达到39万多人。

这是已经发现的尸骨。请问，没有发现的冤魂还有多少呢？

中国人啊，永远不要忘记这笔血债，不能饶恕日本强盗的滔天罪行。

值得人们警惕的是，直到今天还有少数日本人为刽子手洗刷罪名，胡说根本就没有南京大屠杀这回事。他们想干什么！难道还不值得全世界爱好和平的人们认真想一想吗？

135

李宗仁

张自忠

血战台儿庄

136

号称"精华"的鬼子兵
遇着中国杂牌军
丢盔卸甲，吓掉了魂

日本鬼子占领了南京，自以为了不起，更加不把中国人放在眼里了。打进南京的第二天，就在北平扶植了一个叫王克敏的大汉奸，成立"中华民国临时政府"。宣布再也不和蒋介石打交道，把这个汉奸"政府"当成"中国"，想尽快结束这场战争。

它在北边占了一片地方，南方也占了一片地方。打算把占领区连成一片，好和中国打仗。就派兵顺着津浦铁路南北夹攻，在交通枢纽徐州会

师，完成它的连片计划。

南边的敌人打到淮河边，被挡住了。

北边的敌人本来离徐州还很远。想不到国民党前线指挥官韩复榘是一个胆小鬼，敌人还没有打到跟前，就撒开脚丫子往回跑，比兔子跑得还快，把大半个山东白白让给了敌人。全国老百姓都生气了，没有人不骂这个胆小鬼。虽然他被抓起来枪毙了，却让敌人顺顺利利过了黄河，一下子

打到徐州面前。

日本鬼子得意洋洋，派了号称"皇军精华"的矶谷师团和板垣师团攻打徐州。一个顺着津浦铁路往南打，一个从青岛向西进攻，张开一个大钳子，妄想一下子就把徐州这个硬胡桃夹得粉碎。

镇守徐州的司令官是李宗仁，手里只有一些武器不好的杂牌部队，怎么办？大家的手心里都捏了一把冷汗。

着急归着急，仗总是要打的。

第一仗，在徐州外围的临沂县打响了。

"九一八"事变的急先锋板垣征四郎，带领他的"常胜师团"，气势汹汹朝临沂扑来。守城的中国军队表面上说是一个军，其实只有五个团，只有咬牙抵抗，想不到竟打退了敌人的进攻。

板垣征四郎压根儿就没有把这支杂牌军看在眼里，以为放几枪就可以把他们吓跑。谁知，他用上了飞机、坦克、大炮猛攻一气，不但没有达到目的，自己手下的官兵反而死伤了一大堆。

这实在太丢面子了。板垣征四郎气得哇哇大叫，亲自带队又扑上来，打得更加凶猛。

城里的军队有些招架不住了，连忙向李宗仁告急，请求派兵增援。

援兵来了，守城的将官一看，心里直叫苦。他埋怨李宗仁怎么这样糊涂，竟把从前打内战的时候，他出卖过的张自忠派来了，张自忠把他恨得牙痒痒，会救他的命吗？

他想错了。

现在到了什么时候，张自忠还会记仇吗？

张自忠一到，就亲自冲在前面，从鬼子的背后猛冲猛打。城内守军瞧见鬼子乱了营，连忙打开城门，冲出来夹攻，把骄傲的敌人打得夹起尾巴就跑，一口气跑了差不多一百里才站住脚。仔细清点一下，损失了许多人马。板垣征四郎气得直跺脚，"皇军"的威风丢得一干二净。

板垣师团败下阵，进攻徐州的"钳子"少了半边。只剩下矶谷师团孤军深入，注定了它也要倒大霉。可是它还傲气十足，像一头疯牛似的往前硬闯。

这头疯牛首先闯到徐州北面的滕县，守城的是从四川开来的另一支杂牌部队。

更加麻烦的是，打仗的部队已经开出去了，城里只剩下十一个连队。加上警察和保安队，也没有几个人，能够挡住矶谷师团的进攻吗？

敌人来了。从旁边包围的不算，仅是攻城的就有一万多人。飞机、大炮对准城内猛轰，打得到处烟雾滚滚，冒起一片片火光。

滕县完蛋了吗？

不，守城的王铭章师长指挥官兵沉着应战。用手榴弹硬把敌人的坦克

137

打退，抡起大刀硬把冲进来的鬼子兵赶了出去。武装到牙齿的矶谷师团，竟没有办法对付这个小小的县城。

这场恶战打了两天，敌人仗着人多、武器好，终于攻进了城，剩下的战士已经不多了，被包围在城头上。

王铭章受了重伤，不愿意当俘虏，高声呼喊"杀敌! 杀敌!""抗战到底!"举起手枪，对准自己的太阳穴开了一枪，倒在血泊里。躺在旁边的三百多个受伤的战士跟随着他，也拉响了身上的手榴弹，全部壮烈牺牲，没有一个当俘虏，没有一个投降敌人。

滕县血战，争取了宝贵的时间，后方的援军开了上来，在台儿庄一带布好了口袋阵，专等敌人钻进来，关在里面给它一顿狠打。

下一仗，是台儿庄。

守卫台儿庄的，也是一支杂牌军，领兵的将领叫孙连仲。李宗仁命令他死守阵地，等待援军的两路包抄。

这一仗照样打得天昏地暗、日月无光。敌人的火力太猛，几乎把整个小镇轰成了平地。战壕里躺满了伤亡战士，几乎支撑不住了。孙连仲打电话给李宗仁流着眼泪请求说："我手下的部队快打完了。可不可以给我留一点种子，撤下来休整一下。"

"不成!"李宗仁回答他，"死守台儿庄，阵地一定不能丢。"

孙连仲拭干了眼泪，对手下的师长下令："部队打完了，你填上去。你上了，我也来。"

阵地上的官兵咬紧牙关，趁着黑夜，提起大刀冲进敌群里，一个破房子，又一个破房子的争夺，终于把敌人打退，收复了大半个镇子。大家苦苦支撑着，只望援兵早些开上来。

援兵在哪儿?

想不到担任从背后包抄的汤恩伯，仗着自己是蒋介石的嫡系部队，不听李宗仁的指挥，磨磨蹭蹭，不肯开上来打仗。李宗仁火了，好不容易才调动了他，领兵从敌人后方杀来，前后夹攻，把敌人打得大败。矶谷廉介吓破了胆子，丢掉坦克、大炮，只带了很少一些残兵败将，突围逃脱了性命。

台儿庄大捷歼灭了日军上万人，打掉了鬼子的威风，是抗战开始以来，国民党军队打的头一个大胜仗，大大鼓舞了全国人民抗战的信心。

在敌人后方

抬着迫击炮，拿起红缨枪
跟着"八路"走
游击战争打一场

听，在敌人占领的地方，传来了战斗的歌声：

"到敌人后方去，
把鬼子赶出境……"

听，勇敢的游击队员在放声歌唱：

"我们都是神枪手，
每一颗子弹消灭一个仇敌……"

他们是共产党领导的八路军和新四军呀！

中国共产党是抗日的先锋队。面对凶恶的日本强盗，提出停止内战、枪口对外的主张，积极推动建立抗日民族统一战线，国民党和共产党又重新联合起来了。

为了团结抗日，共产党领导的工农红军改编成国民革命军第八路军。后来，南方的游击队也改编成新四军，在敌人后方狠狠打日本鬼子。

八路军刚成立，就渡过黄河，开上前线。正当日本鬼子占领上海不久，就在山西省北部平型关，和敌人遇上了。

平型关是内长城的一道重要关口。北有北岳恒山，南靠五台山，形势非常险要，是兵家必争的地方。敌人瞄准了这儿，派最精锐的板垣师团来进攻。

哇啦、哇啦，鬼子来啦！来的有一个旅师，坐着一百多辆汽车，两百多辆大车，拖着大炮，神气活现进山了。占领东北，放第一枪，有他们，进攻华北，攻打万里长城，也有他们。这是一支罪恶滔天的强盗兵，中国人民就要和他们算总账了。

俗话说："不是不报，时候不到。"他们到处为非作歹，逍遥很久。1937 年 9 月 25 日，宣判他们死刑的日子到了。

他们做梦也没有想到，早就有一双双锐利的眼睛，藏在山石后面，严密监视他们的行动了。

开上前线的八路军 115 师，早就在平型关外的一道狭窄的山沟，布好了口袋阵。

呜呜、呜呜，鬼子坐着汽车开进沟了。似乎忘记了这是在打仗，像是远足旅行一样。

打！

指挥部一声令下，埋伏在山上的战士一下子开了火。迫击炮、机枪和手榴弹，把敌人打得晕头转向。一长串着了火的汽车和大车，再也爬不动了，像死蛇似的躺在沟里。车上的鬼子乱窜乱跑，乱成了一团糟。

冲啊！

140

嘟嘟嘟，雄壮的冲锋号响了。八路军战士高声喊着"杀呀！"从山上冲下来，把敌人切断成几截。前面、后面也堵死了，关起门打狗，真痛快呀！

敌人慌了，缩成好几堆，想冒着八路军的刺刀和子弹，冲上山头去，被打得连滚带爬败退下来。想扭转屁股拼命突围逃回去，也被死死堵住，走不了一步。

躲在后方的司令官板垣征四郎气得七窍冒烟，连忙派援兵去解救，派飞机去轰炸。

六架日本飞机飞到打仗的地方，飞行员伸长了脖子往下一看，只见八路军和鬼子打成一团，想丢炸弹，也没有地方丢，只好转悠了几个圈子，灰溜溜地飞回去了。

敌人的援兵赶上来，被埋伏在外面的八路军挡住，也没有办法帮助被包围的强盗伙伴，只好眼睁睁看着他们被八路军全部消灭掉。

这一仗，打死了一千多个鬼子，缴获了许多汽车和军火，是抗日战争的第一个大胜仗。

平型关大捷的消息传遍全国，所有的中国人都高兴得跳了起来。日本鬼子没啥了不起，只要挺起胸膛和他们干，一定可以打败他们。

敌人大吹大擂的"皇军不可战胜"的神话破灭了。往后，还有他们的苦头吃呢！

汉奸、卖国贼宣传的"中国武器

不如日本，抗战必亡"的谬论也破产了。

不久，毛泽东提出来"论持久战"的思想，非常有远见地指出了抗日战争有三个阶段。

第一阶段，敌人进攻，我们防守。

第二阶段，敌我双方相持。

第三阶段，我们反攻，敌人失败。

仗刚打起来，怕什么！最后胜利必定是中国人民的。

为了打击敌人，准备反攻，八路军和新四军勇敢地开到敌人后方，建立了许多抗日根据地。在高高的山冈上，在密密的森林中，在茫茫的芦花荡里，神出鬼没地打日本鬼子。打得他们鬼哭狼嚎，这才知道八路军和新四军的厉害。

敌人仗着他有飞机，八路军不能

141

上天打仗。

别急，飞机也有下地"睡觉休息"的时候。八路军趁着夜色，偷袭阳明堡飞机场，一下子炸掉了22架欠下累累血债的敌机，看这伙飞贼还敢不敢神气。

敌人仗着他的武器好，要开进山来找八路军算账。

让他们来吧！八路军设下埋伏，不费吹灰之力，就打死了号称"名将之花"的阿部规秀中将，叫他们去痛哭流涕吧！

敌人在山里吃了苦头，心里想，换个地方再打吧！仗着坦克、大炮在大平原上怎么也会占便宜。放枪放炮猛轰一阵，冲进村子想抓八路军。

谁知，八路军和老百姓很会动脑筋。在村口、村里，到处埋了地雷。家家户户都挖了地道，躲在敌人看不

见、摸不着的地方，到处放冷枪。一枪撂倒一个，一个地雷炸死一大片。打得鬼子嗷嗷叫，只好夹着尾巴逃跑了。

敌人气急败坏，调了许多兵，实行毒辣的"三光政策"。要用"铁壁合围"和制造"无人区"的办法，把八路军的一个个抗日根据地全部消灭掉。

成千上万无辜的老百姓，被毒气、刺刀和罪恶的子弹夺去了生命，无数和平的村庄被烧成了一片废墟，许多根据地浸泡在血泊里。可是，这吓不倒八路军和老百姓，他们依旧咬紧牙关坚持斗争，敌人还是不能达到消灭抗日根据地的目的。

1940年，日本眼看"速战速决"的计划破产了，陷在战争的泥淖里没法脱身，就改变了一个办法。对国民党边打边拉，想引诱蒋介石投降。对共产党领导的敌后抗日根据地紧紧封锁、不停进攻，想彻底扼杀这支最叫他们头疼的抗日力量。

为了打破敌人的"囚笼"，砰、砰、砰、叭、叭、叭，四面八方响起了枪炮声。日本鬼子做梦也没有想到，有这样多"八路"，从他们的眼皮底下钻出来，朝着他们的肚皮猛攻猛打。

自古道，水来土掩，兵来将挡。八路军杀来了，应该派兵去抵挡。可是，桥被炸断了，铁路被拆了钢轨，公路挖得乱七八糟，怎么运兵去援救呢？再说，八路军来的这样多，到处

142

百团大战

小知识

1940年8月，彭德怀指挥八路军在华北发动一次大规模对日作战。参加战争的有100多个团，称为百团大战。百团大战8月开始，至12月结束，历时三个半月。八路军毙伤和俘获日伪军4万多人，摧毁敌伪据点近3000个，破坏交通线3000多公里。

百团大战大大提高了共产党和八路军的威望，坚定了全国人民抗战胜利的信心。

都在冒烟。救得了北边，救不了南边，鬼子司令部里，哪有这样多的兵可以派出去呀！

这一仗，叫做"百团大战"，整整打了三个半月，把敌人打得心惊胆战，鬼子司令急得团团转。敌人精心布置的"囚笼"彻底打碎了，还被歼灭 1.5 万多人，疼得嗷嗷叫。

"百团大战"的胜利，证明了毛泽东《论持久战》的英明预见。做好准备的中国军队一反攻，鬼子就招架不住了。全国老百姓都相信，这场战争中国一定会打赢。

汪精卫叛国投敌

144

汪精卫，不要脸
投降敌人当汉奸
要把中国出卖完

小小的毒蛇，能够吞掉大象么？

日本侵略中国，就是"蛇吞象"。

它妄想三个月灭亡中国。打了一阵子，觉得有些不妙。中国太大了，怎么能够一口吞下肚皮？

日本军阀抱着脑袋想，想出一个鬼点子。干脆养一批汉奸，中国人对付中国人，实现它的"以华制华"的殖民政策。

其实，日本想把中国变成殖民地，早就这样干了。

"九一八事变"，侵占了东北，就把早已扔进历史垃圾堆的"末代皇帝"溥仪拖出来，成立了什么"满洲国"。

打到内蒙古，找了一个无耻投降的蒙古贵族德王，成立了"蒙疆联合自治政府"。

占领北平，叫汉奸王克敏做傀

偶，非法成立"中华民国临时政府"。

攻下南京，又弄了一个叫梁鸿志的汉奸，搞一个"中华民国维新政府"。

日本强盗本来想利用这些汉奸政权，帮助他镇压各个地方的抗日运动，统治各个占领区，达到吞并中国的目的。可是这些汉奸都是臭不可闻的狗屎堆，老百姓想扒他们的皮，吃他们的肉，谁肯听他们的？

日本强盗也看出来，这些家伙都是大废物，想再找一个大汉奸来代替他们才行。

大汉奸不用找，现成就有一个。

这个家伙叫汪精卫，是国民党政府的二把手，官居国民党副总裁、国防最高会议副主席。除了蒋介石，就数他的官大了。拉这样一个人物来当汉奸头子，日本觉得再好也没有了。

其实，不用拉汪精卫当汉奸，他自己早就想当汉奸了。

打仗以前，他对日本帝国主义怕得不得了。老是说中国武器不好，打不过日本。

仗一打起来，他又跳出来说，抵抗日本是"不老实"、"不负责任"的行为。胡说一打，中国就要亡，不如趁早投降好些。

日本占了半个中国，他跟着大家逃难到了重庆，还拉了一些一个鼻孔出气的人，成立了一个"低调俱乐部"。公开散布，他们反对唱抗战的"高调"，还是唱"低调"，对日本妥协投降了吧！

他这样胡说八道，遭到大家反对。连蒋介石也皱着眉头，觉得他实在太不像话。

汪精卫一心一意要投降，才不管别人说三道四呢。，悄悄派人溜到香港去，和日本拉关系。

这种见不得人的勾当，当然一拉就成。

日本看准了，这是一条大鱼，比别的汉奸更有用。立刻派了两个特务，和他派来的汉奸谈判。

汉奸和帝国主义主子有什么好谈的？日本提出几个"和平条件"，要汪精卫完全答应，并且给他安排了秘密逃跑的计划。

让我们来看看，汪精卫点头答应了些什么"和平条件"吧！

第一条，他当了汉奸头子，必须和日本签订"防共协定"，答应日本在中国驻兵，并且把内蒙古划为日本管制的"特别区"。

第二条，承认伪"满洲国"是"独立"的"国家"。

第三条，日本人可以在中国随便居住，随便做生意。

第四条，日本有在中国经济开发的优先权。尤其是华北，当然是日本的。

第五条，打仗打了这样久，日本在中国的侨民受了"损失"，一定要赔偿。

145

真是岂有此理！如果这些条件都兑现，中国岂不是彻头彻尾变成日本的殖民地了！要赔日本侨民的"损失"，谁来赔偿南京大屠杀和千千万万死难同胞的生命、财产损失呢？

汪精卫才不多想一下呢。只要日本主子答应收他这条走狗，他连亲爹都会出卖，立刻一口答应下来。按照日本特务给他安排的计划，想办法逃出重庆。

他仗着自己是国民党的副总裁，带了一帮喽啰，要一架飞机离开。嘴巴上说是到成都，上了天就掉转方向飞到昆明。

蒋介石听说他到了昆明，还没有弄清楚是怎么一回事，他又一溜烟逃到越南河内。找到日本特务，藏在一座小洋楼里搞阴谋活动。

国民党副总裁跑去投降日本了，消息传出去，没有人不骂他。

人们传说，他是代表蒋介石，去和日本谈判投降。

他也揭发了一个内幕消息：不久前，蒋介石还找德国大使帮忙，想和日本谈判呢！

这一来，弄得蒋介石下不了台。支持他的美国、英国都来问，到底是怎么一回事？

蒋介石气坏了，把手下的特务头子戴笠臭骂了一顿，质问他为啥早先不把汪精卫盯牢，竟让他从自己的鼻子下面溜掉了。叫戴笠赶快派人到河内去，把这个家伙杀掉。

戴笠挨了一顿骂，连忙派人赶到河内，想办法刺杀汪精卫。在这儿杀汪精卫，可没有在重庆容易。好不容易找了一个机会钻进这个大汉奸住的楼房，对准他的床上打了几枪。想不到那天晚上汪精卫换了一个房间，打死的是他手下的一个喽啰。

汪精卫吓坏了，觉得河内不能久留。连忙在日本特务保护下，一口气逃到日本占领的上海。日本扶植他在南京上了台，把没用的王克敏、梁鸿志都赶下去让他当汉奸总头子。

这个不要脸的汉奸，像小丑一样爬上台，立刻宣布他是"正统"国民政府。重庆政府是"假"的，延安边区政府更不消说了。一面下了一道谁也不听的"停战令"，叫前线的抗日队伍统统放下武器。一面又给敌人出主意，叫他们赶快打下西安和南宁，切断国际交通线，狠狠轰炸重庆，进攻四川，好像他也是鬼子似的。

接着，他又和日本签订条约，比卖国贼袁世凯签订的《二十一条》还卖国，把中国活生生变成日本的殖民地。

这样的"条约"，全国人民当然不承认。汪精卫一伙竟高兴得过年似的。他手下的另一个大汉奸周佛海居然厚着脸皮说："我们是战败国，能够得到这样的优惠条件，真心安理得呀！"

呸！中国人民有必胜的信心，谁是"战败国"？

除了不要脸的汉奸，谁会对这样的卖国条约"心安理得"？

杭州岳飞坟前跪着大汉奸秦桧夫妇，挨了千年唾骂。汪精卫一伙比秦桧更无耻，犯的卖国罪更大，会被唾骂一万年、十万年，永远也别想抬起头来。

江南奇冤

蒋介石不把心思用在抗日战场
一心一意想消灭共产党
到底安的什么鬼心肠

抗日战争时期，有一首歌唱道：
　　"枪口对外，
　　齐步前进! ……"
打日本侵略者，当然应该枪口对外，中国人不打中国人。
要想打胜仗，当然要大家齐步走。如果有的往前冲，有的向后退，像什么话？

抗日战争刚开始的时候，在全国人民推动下，蒋介石还算积极。他手下的军队不论打输打赢，还认真打了好几仗。可是这场战争接着打下去，他就不那么积极了。

他眼看自己的军队节节败退，八路军、新四军不断打胜仗。自己丢掉的地方，又被八路军、新四军收复回来，建立了许多抗日根据地，共产党的势力一天天大起来，心里很不是滋味，怎么才能限制八路军、新四军的活动，消灭共产党才好？

有了这个想法，他就再也不能齐步前进。枪口悄悄掉转来，对内，不对外了。

打日本，刚打了两年多，国民党顽固派就把枪口对着共产党，搞起反共摩擦了。

1939年12月，山西土皇帝阎锡山突然调兵包围攻打抗日的决死纵队和八路军，取消抗日团体，要把共产党赶出山西。

同时，蒋介石又给驻守西北的胡宗南下了一道秘密命令，派兵进攻共产党中央所在的陕甘宁边区。又派朱怀冰进攻太行山区的八路军，掀起第一次反共高潮，想把共产党一下子消灭掉，没有达到目的。

硬打不行，他眉头一皱，又想出一套更加毒辣的办法。

八路军、新四军不正是编在他手下的国民革命军里吗？他就板起面孔下命令啦！

规定八路军、新四军只准有十万人，不能再扩大队伍。

不许八路军、新四军到处打日本，叫他们统统开到黄河北面一个指定的地方。只准在这一小片地方打仗，不准开出关。

瞧，这是什么王法？

在抗日战争中发展壮大的八路军、新四军已经有50多万人了。要"整编"成10万人，岂不是叫另外40万抗日战士放下武器吗？

打日本强盗不是打球，哪儿有鬼子，就该往哪儿打。怎么能划一块地方，把自己关在里面打，出界就"犯规"呢？

荒唐！实在太荒唐了！

这不是荒唐，是国民党顽固派对付抗日救国的共产党的一条恶毒计策。

首先，他下命令，限定日期，叫在南方各省抗日的新四军集中在一起，渡过长江开到北方去。拍着胸脯保证说，如果新四军撤退过江，绝不在半路上找麻烦。

他一面这样说，一面悄悄调兵遣将，不怀好意地围上来，一场摩擦眼看就要发生了。

共产党和蒋介石交涉，说破了嘴巴，蒋介石也听不进半句道理，怎么办？

如果坚持自己的意见，必定会发生摩擦，只会给站在旁边看热闹的日本鬼子带来好处。为了顾全抗战大局，不要搞摩擦，让日本鬼子看着高兴，只好暂时忍一口气，先把新四军开过长江再说。

江南的新四军集中起来。第一批绕道江苏省，顺利渡过长江了。后面还有九千多人，在军长叶挺、副军长项英带领下，从安徽省南部出发，也想顺着这条路走。

149

谁知，国民党顽固派不让他们再走这条路，逼他们从安徽最近的地方过江。这里是日本鬼子严密封锁的地方，要从这里过去，必定凶多吉少。大家商量一下，决定还从老路走。

事情就在这儿发生了。

早就埋伏在这里的国民党军队，突然发动进攻，把正在前进的新四军团团围住。打了整整一天，虽然打退了几次进攻，国民党军队却越来越多，比新四军多好几倍，再也没法把他们顶回去。

这是怎么一回事？国民党不是说好，不在半路上找麻烦吗？

叶挺心里不服气，带了几个人去交涉，一去就被扣住不放回来。

接着，国民党顽固派就发动了总攻，用五个师往里死冲狠打。经过七天七夜血战，由于寡不敌众，新四军终于抵挡不住了。除了少数拼命冲了出来，绝大多数都牺牲了。有的受伤被抓住，送进比地狱还恐怖的上饶集中营受折磨。项英没有冲出来，和战士们一起牺牲了。

蒋介石撕破了面皮，反咬一口说，新四军"危害民族，为敌作伥，丧心病狂，莫此为甚"。胡说他们违背命令要搞叛变，干脆撤消了新四军的番号，要把叶挺交给军事法庭审判。

这简直是颠倒黑白。

请问，谁丧心病狂给民族带来危难，谁给敌人帮了忙？不是国民党顽固派自己，还有谁？

正在重庆的周恩来听见消息，立刻给国民党政府的军政部长何应钦打电话，狠狠斥责他说："你们的行为使亲者痛，仇者快。你们做了日寇想做而做不到的事，你何应钦是中华民族的千古罪人！"接着又赶到国民党谈判代表的地方提出抗议。

周恩来叫《新华日报》写一篇揭露"皖南事变"真相的文章，国民党新闻机关不准登出来，报纸上留了一个大空白"天窗"。周恩来十分气愤，立刻提笔写了一行题词：

"为江南死国难者志哀！"

又写了十六个字：

千古奇冤，

江南一叶；

同室操戈，

相煎何急！

国民党反动派封锁不住消息。"皖南事变"的消息传出去，一下子震惊了全国，人人都非常气愤。国民党顽固派的真面目，算是被人们看清楚了。

日本投降啦

152

> 正义战胜邪恶
> 公理战胜强权
> 日本强盗完了蛋

抗日战争打到 1944 年，胜利的曙光已经出现了。

毛泽东在《论持久战》里早就说过，这场战争的第三阶段，是中国反攻，日本后退，中国取得最后胜利的时候。

现在回头看这段话，多么英明正确啊！

其实，早在日本强盗得意洋洋的时候，就种下了它失败的种子。

小小的日本，没有多少人，兵力本来就不多。它想吞掉巨大的中国，必须派许多兵在占领区到处把守。占的地方越多，要留下来的兵也越多。前面要打仗，后面要把守，哪有那么多的兵呢？加上往里闯得越远，运输线也拉得越长，好像躺在病床上的病人，拖着长长的输氧管。只消轻轻掐住这条管子，军火、粮食和援兵都运不上来，就麻烦啦。

愚蠢的敌人像狗熊掰玉米似的，掰了不少，也丢了不少。这就是小国打大国，必定要出的毛病。

国民党军队不停地后退，日本鬼

子不停前进。八路军和新四军不停在后面打，收复了许多地方，敌后根据地越来越多，越来越大了。捏紧了拳头，作好了大反攻的准备。

猖狂的日本强盗在中国占了便宜，又伸出拳头到处东打西打。1941年12月偷袭珍珠港和美国打了起来，又占了东南亚的大片地方，和更多的国家开仗。还勾结它的德国、意大利法西斯伙伴，妄想瓜分全世界。

这一来，就不仅是中国和日本两个国家打仗了，变成声势浩大的第二次世界大战。中国有一句老话说："得道多助，失道寡助。"德、意、日三个法西斯强盗干尽了坏事，引起全世界的公愤。大家都起来干，法西斯强盗就没有好日子过了。

不久，德国法西斯在斯大林格勒吃了一个大败仗，从此走了下坡路。

日本法西斯也在太平洋吃了大败仗，再也威风不起来了。

俗话说："困兽犹斗。"

日本像是一只受伤的野兽，不甘心失败，舔了一下伤口，蹦起来还想

咬人。

现在它的想法是，赶快结束在中国的战争，从泥淖里抽出腿，专心到太平洋上抵挡美国的进攻。

为了达到目的，它拼凑出最后的老本，朝蒋介石的军队狠狠打。从1944年6月开始，仅仅几个月，就一口气攻破了长沙、衡阳、桂林、柳州和南宁，打得国民党军队丢盔卸甲，一股劲儿往回跑。

打通了这条陆上走廊，就可以连接印度支那战场，再也不怕美国海军和空军，掐断它的海上运输线了，真是一举两得。

当它打到广西，忽然转了一个弯，直朝贵州冲来。只用几十个兵，就占领了贵州省南部重镇独山，想用武力威胁蒋介石投降。

日本从后门打进来，贵阳震动了，重庆也乱成一团。蒋介石开始考虑，是不是要马上再搬一个家，免得日本鬼子抓住做俘虏。

可是，日本表面样子虽然很厉害，却再也没有力量接着打下去了。

太阳快落坡了，这只是它临死前的回光返照，马上就要完蛋啦!

大反攻开始了。

向日本强盗算总账的时候到了。

正当日本在正面战场，朝国民党军队狠打的时候，八路军和新四军在敌人后方发动了声势浩大的反攻。收复了8万多平方公里的国土，打死、

打伤20多万敌人，自己也壮大了起来。

这时候，美国已经打到了日本的家门口，把它炸得稀巴烂。又在广岛、长崎扔了两颗威力强大的原子弹，警告它，如果再不投降，就会遭到毁灭性的打击。

苏联红军攻克了柏林，和盟军一起打垮了德国法西斯。又掉过头来打日本，一下子就解放了中国的东北。

日本已经没有路走了，只好低下头，乖乖地无条件投降。

人们啊，请记住这几个有历史意义的日子。

1945年8月15日，日本天皇哭丧着脸，宣布无条件投降。

9月2日，日本政府重光葵外相、梅津美治郎总参谋长，爬上停泊在东京湾的美国军舰密苏里号上，签了投降协定，正式向中国和其他盟国投降。

接着，日本强盗又在中国投降，交出了杀人武器，滚出中国的土地。被日本强盗霸占了半个世纪的台湾，也回到了祖国的怀抱。

谁说中国打不过日本?

谁说三个月日本就会灭亡中国?

正义总会战胜强权! 这就是抗日战争得出的结论。

154

战争与和平

为了寻求和平
毛泽东飞到重庆
蒋介石却挑起了战争

流尽了鲜血和眼泪的抗战八年过去了，人们多么高兴啊！

全国老百姓都有一个共同的愿望。

和平！

人们忍受着痛苦，盼啊！盼啊！眼巴巴盼的就是这一天。和平女神，会永远留在人间吗？

真可惜啊！她翩翩来了，又悄悄走了。留下的，依旧是飘不散的战争的阴影。

谁把大家盼望的和平女神赶走了？

是他，蒋介石。

日本刚无条件投降，躲在峨眉山上的蒋介石就下山了。一天之内，就一口气下了好几道命令。

叫投降的日本兵和汉奸伪军把守好占领的地方，等他派人来接收。

催他手下的兵将，赶快赶到敌人占领区，把所有的地方统统接收下来。

命令八路军、新四军留在原地，不准随便行动。

这几道命令的意思很明白。就是要独自吞掉胜利果实，没有共产党的份。不管你从前打日本有多大的功劳，也不成！

古怪的世道，古怪的事情简直说不清。

因为要他们帮忙抢占地方，许多本该坐牢的大汉奸，不但没有受惩罚，反而说他们"维持治安"有"功劳"，要不就说是"地下工作者"，一个个受到嘉奖，摇身一变，照旧做大官。

一些双手染满中国人民的鲜血的日本强盗，也没有受惩罚。有的换了一身军装，当上国民党军队的"顾问"。有的干脆改编成"反共志愿军"，帮着国民党站岗放哨，甚至攻打解放区，还是那样猖狂。

危险啊！人们从空气里，又嗅出了恐怖的战争气味。

如果这一次要打，就不是打日本鬼子，是中国人打中国人了。谁先放第一枪，谁就是民族的罪人。

不消说，谁也不愿意顶这个天大的罪名。为了装扮自己，蒋介石想出一个主意，请毛泽东到重庆来商量国家大事。他想，毛泽东一定不敢来。如果毛泽东不来，破坏和平的责任就可以顺顺当当推到共产党的头上了。

收到蒋介石的邀请信，大家仔细分析，他究竟安的什么心眼？俗话说，宴无好宴，会无好会。这是不是一个新的"鸿门宴"？（楚汉相争的时候，项羽请刘邦在一个叫鸿门的地方聚会，想趁机杀掉他。）

为了团结和争取和平的大事情，为了揭露蒋介石"假和平、真内战"的阴谋，毛泽东决定亲自和周恩来、王若飞一起去。不管蒋介石多么阴险毒辣，哪怕是龙潭虎穴，也要闯一下。

这一来，蒋介石慌了。他把球踢过去，只是装一个样子，没有想到毛泽东真来了。弄假成了真，慌得手忙脚乱。现在，球踢回到他的面前了，看他怎么办？只好硬着头皮表示欢迎。

重庆谈判开始了。

毛泽东到了重庆，受到社会各界热烈欢迎。他给人们带来了和平的新希望，老百姓多么盼望这次谈判能够成功啊！

这场谈判谈得很艰苦。蒋介石在谈判桌上，一声声离不了"统一军令"、"统一政令"。说来说去，就是要取消共产党的边区政府，把枪也交出来，什么都听他的。

这岂不是只许他一人搞独裁么，这样谈下去会有什么好结果？共产党当然不答应。

蒋介石眼见在会上谈不下去，就悄悄动起拳头了。

其实，他一开始就没有真心谈判。毛泽东到重庆的第二天，他一面装出笑脸握手欢迎，一面却悄悄重新印了许多《剿匪手本》，作好打仗的

1945 年 10 月 10 日，重庆谈判结束。图为毛泽东在张治
中、王若飞陪同下返回延安，重庆各界人士前往机场送行。

157

准备。

会议开了一半，他就动手了，秘密给手下的军队下命令，攻打张家口和太行山的解放区。接连打了三仗，想不到每一仗都打输了，损兵折将吃了大亏。

战场上碰了钉子，老百姓都看清他的假和平、真内战的面目了。蒋介石没有办法，只好老老实实坐下来，不得不再说几句漂亮话，在 1945 年 10 月 10 日，和共产党的谈判代表签订了《双十协定》。宣布要"避免内战"，"政治民主"和别的主张。不管怎么说，白纸黑字写得明明白白，往下就看他怎么表演了。

老百姓的希望落空了，他改不了独裁者的本性。后来，美国假惺惺出面来调停，又签订了停战协定，召开了各党派参加的政治协商会议，传出一连串要和平的呼声，他依旧要打内战。

1946 年 6 月 26 日，蒋介石作好了准备，下令对解放区进攻，打响了内战的第一枪。

战斗首先在中原解放区打响，很快就蔓延到其他地方，摆出一副全面进攻的架势。

中国人民解放战争开始了。

蒋介石拿出了全部老本，宣布三个月到六个月消灭所有的解放区。

这个牛皮吹得很大，使人不禁回想起，当年日本强盗要三个月消灭中国的口号。请问他真的有这样大的本领吗？

不，吹大牛的人总要倒霉。

这场仗，一开始，就分得清清楚楚。一边违背老百姓的愿望发动内战，一边为了人民的利益，反对独裁者的武力压迫。老百姓的心向着哪一边，不是很清楚吗？

因为没有老百姓支持，蒋介石的全面进攻失败了，一路路人马都败下阵来。

全面进攻不行，他就集中力量，改成重点进攻。挥起两个拳头，一拳猛打山东，一拳狠砸陕北。想靠这两个拳头，先把解放军的主力消灭了再说。三个月、六个月不行，就改口说一年消灭共产党吧！

山东这一拳，碰着了硬石头。不但没有消灭解放军的主力，反而在孟良崮，赔了"王牌"部队74师，真是偷鸡不成蚀把米。

陕北这一拳，扑了一个空。气势汹汹杀来的胡宗南，本想消灭共产党中央机关。谁知毛泽东机智地带领中央机关撤出延安，只让他得到一座空城，没有捞到半根毛。重点进攻的计划，又泡了汤。

战火烧起来，就由不得蒋介石了。

一年后，解放军开始了反攻。

在中共中央的命令下，刘伯承、邓小平指挥的第二野战军打过黄河，一直往前冲，一直打到大别山，打进国民党统治区了。

谁胜、谁败，已经摆得很清楚了。

158

毛泽东在转战陕北的途中。

三记狠狠的拳头

第一拳，打掉长春和沈阳
第二拳，徐州敌人全灭亡
第三拳，北平、天津都解放

解放战争打到 1948 年，对蒋介石更加不利了。前方处处打败仗，变成挨打的样子。

可是，他手里还有一笔本钱，还想拼一下，不会低头认输。

他想，从前把摊子铺得太大，兵力分散了，被解放军吃掉了许多。现在改变一个办法，把许多主力部队集中在一起，捏紧拳头，来一个重点防守，就不会被吃掉了。

是啊，几十万主力部队在一起，武器好，火力强，像是几个硬核桃，

摆放在重要的地方，谁也别想啃动它。弄不好，会磕断了牙齿。自以为这样一来，解放军就对他们没有办法了。

怎么砸碎这些硬核桃？

用铁锤头呀！

解放军用的就是这个办法。

你把主力部队集中在一起，我也集中主力部队。你提出"硬核桃"的阵形，我就举起铁锤头狠狠砸，看谁比谁更硬。

解放军捏紧了拳头，对蒋介石狠

狠揍了三拳。

第一拳，打在东北的国民党军队的头上。

为什么解放军先选这个地方打？

因为解放军在这里占了很多地方，国民党军队只占了长春、沈阳和锦州八个大城市，好打呀！

打东北的敌人，先打什么地方？

第四野战军司令员林彪主张先打长春。因为长春已经被解放军团团围住了，最好打。

毛泽东却认为应该先打锦州。

说来道理很简单。打仗最重要的不是占地方，而是歼灭敌人。

如果先打长春，会把沈阳、锦州的敌人吓跑，就不能全部歼灭东北的敌人了。

先把通往关内的锦州打掉，掐断东北敌人的退路，就可以关门打狗，一个也跑不掉啦！

毛泽东这个办法很好，解放军就按这个办法开打了，集中主力部队对锦州猛攻。另外派了两支部队，一支在塔山，挡住华北来的国民党援兵。另一支在黑山，抵挡从沈阳赶来的援军。

敌人也非常明白，丢了锦州，东北的几十万部队就没有退路，赶紧派兵从南北两路增援。想解救锦州，反包围攻城的解放军。

从华北赶来的"救火队"，比守塔山的解放军多得多。用飞机、大炮猛轰猛打，一个师又一个师轮流上阵，发狂似的打了六天六夜，也没法

拔掉这个拦路虎。

从沈阳赶来的援兵攻黑山，同样不能前进一步。

挡住了敌人的两路援兵，解放军主力部队就可以放手攻城了。这场战斗打得十分激烈，解放军花了很大的力气，终于攻破了锦州，斩断东北敌人和关内的联系。

蒋介石慌了。

长春和沈阳，有他的两个"王牌"部队，新一军和新六军。如果被解放军歼灭，就糟啦！

他慌里慌张飞到沈阳，亲自指挥这一仗。派一架飞机飞到长春，从半空中扔下命令，叫城里的残兵败将马上突围，到沈阳和新六军会合在一起，拼命夺回锦州。

可是长春已经被紧紧包围住，城里的粮食快吃光了，子弹也不多了，怎么冲得出去呢？守城的一支部队眼看没有希望，宣布起义了。剩下新一军，想打也没法打，只好乖乖地举手投降。

现在只剩下沈阳了。吓得乱了营的敌人想往南，到海边爬上船逃跑。谁知，南边的海港营口已经解放了。敌人没有办法，只好由新六军带路，拼命往西南边跑，看有没有办法冲过锦州，逃回山海关内去。

解放军已经布下了天罗地网，怎么跑得脱呢？逃跑的敌人终于被全部包围歼灭。解放军在辽沈战役先打赢了第一仗。

第二拳，打徐州，揭开淮海战

役。刘伯承、邓小平带领的第二野战军，陈毅、粟裕带领的第三野战军并肩作战，对徐州发动猛攻。

这场大会战打了三仗。

解放军出其不意，先消灭了徐州东面的黄伯韬兵团。

接着又包围了从南面来援救徐州的黄维兵团，把它消灭在一个叫双堆集的村子里。

徐州城里的敌人坐不住了，只好丢了城，慌里慌张往外跑。解放军等候的正是这个机会，在半路上把他们围住，歼灭得干干净净，司令官杜聿明也被捉住了。

南边的淮海战役正在进行的时候，解放军又在北边挥出了第三拳。

这一拳，砸在北平和天津。

守北平的是傅作义，从天津、北平到张家口，摆出了一字长蛇阵。他的算盘很精明。万一有什么风吹草动，可以往东到天津坐船逃跑，要不就往西逃回他在绥远省的老窝（绥远

是从前的一个省。省会在归绥，就是现在的呼和浩特）。有前门，又有后门，就不用害怕了。

谁知，中共中央看穿了他的心思，放着中间的北平不打，先打两头的前门、后门。

解放军先打掉了西边的张家口和新保安，断了傅作义的缩回绥远老窝的退路。接着又猛攻天津，歼灭了这里的敌人，傅作义想下海逃跑也不行了。

强大的第四野战军，兵临北平城下。傅作义没有半点希望了，只好宣布起义，和平解放了北平，使这座文化古城避免了一场战火的摧残，结束了三大战役的最后一仗平津战役。

三大战役，消灭了蒋介石的好几个主力兵团。好像是《水浒传》里，鲁智深三拳打死恶霸"镇关西"。蒋介石再也没有打内战的本钱，马上就要完蛋了。

161

解放全中国

162

冲上去，不让敌人喘息
解放军横扫江南大地
天安门前，升起了五星红旗

国民党反动派挨了三记重拳，像是斗败的拳师，歪歪倒倒支不起身子，再也没法招架了。

这场已经胜败分明的战斗，还会继续下去吗？

国民党的内部也闹了起来。

这时候，蒋介石只剩下驻扎在西北的胡宗南，在长江中游的白崇禧两支主力部队了。胡宗南是他的看家狗，没有什么说的。白崇禧是广西军阀，从来就不太听话，他叫嚷起来了。

他的头脑还算清楚，看出了这仗不能打下去了，向蒋介石提出"和平解决"的主张。实际上他还有另外一个打算，想趁机把蒋介石赶下台，让他的伙伴"副总统"李宗仁接替蒋介石的位置。这样一来，广西军阀就可以掌权，和解放军谈判。划长江为界，弄一个新的"南北朝"讲和不打仗了。

蒋介石接连吃败仗。被解放军逼得喘不过气，没想到内部也闹乱子。他抱着脑袋想了又想，只好叹一口气，在 1949 年元旦发表了一个求和声明。宣布只要保证他还能统治全国，马上就停止内战。

别臭美啦！打了败仗，还想摆架子，怎么成？

毛泽东也在同一天，写了一篇新年贺词《将革命进行到底》，宣布解放军要打过长江去，解放全中国。如果要谈判，就必须惩办挑起内战的战犯，还要把蒋介石的政府砸得稀巴烂，成立新的民主联合政府。

蒋介石一看，傻了眼。只好灰溜溜地宣布下台，让李宗仁当"代总统"。自己躲在家乡的院子里，背着李宗仁，在幕后秘密指挥手下爪牙们。

李宗仁和白崇禧商量好了，按着自己的计划办，派代表到北平去和共产党谈判，想讲和，各分一半中国。变成"南北朝"。谁知张治中带领的代表团到了北平，和共产党签订了一个和平协议，一切都按共产党的意见来办。蒋介石气得吹胡子、瞪眼睛，李宗仁没有达到目的也不同意。签好的和平协议，只好作废了。

不认账就不认账吧！毛泽东早就看穿国民党反动派，算准了他们会不认账的。立刻和朱德一起，发出了向全国进军的命令。

国民党反动派没有多少兵了，只能希望上天保佑出奇迹，依靠长江天险能够挡住解放军。

人民解放军举行入城仪式。

滚滚长江横在解放军的面前，真的可以阻挡解放军的脚步，给国民党反动派保驾吗？

这实在太可笑了，是多么不实际的幻想。

嘟，嘟，嘟！解放军的进军号吹响了。

从江苏的江阴，到江西的湖口，上千里的长江上，解放军分兵三路打过长江了。听说解放军要过江打国民党反动派，老百姓划了许多大木船，冒着枪林弹雨，把一船船解放军送过了江。国民党反动派妄想用天上的飞机，江上的军舰，岸上的大炮，组成海陆空"立体防线"，挡住解放军的进攻，却没有半点用处。好像是纸糊的墙壁，轻轻一捅就破了。

南京解放了！解放军冲进蒋介石的"总统府"，扯下国民党的青天白日旗。站在写着"总统府"三个大字的门楼上，高声欢呼胜利。

上海解放了！

蒋介石的老家，浙江省奉化县溪口镇也解放了，叫他夹着尾巴逃跑，没有安身之地。

国民党军队兵败如山倒，只恨爹娘少生了两条腿，丢了枪、丢了炮，撒开脚丫子，扭转屁股拼命逃跑。解放军乘胜追击，一口气解放了许多省份，无数大、中、小城市。

蒋介石的最后两个看家狗呢？

白崇禧的广西兵打不赢，丢了湖北省，慌里慌张逃到湖南省。谁知，湖南一些军队起义了，打乱了他的防守计划。只好一口气跑到广西老窝，又退到海南岛，被消灭得干干净净。

胡宗南是蒋介石的心腹大将，蒋介石一直把他放在西北，准备对付共

人民解放军进入上海后，不扰市民，露宿街头。

产党。和日本打仗的时候，也舍不得拿出来用一下，这是最后一张救命的"王牌"。想不到这张"王牌"也不管用，从陕西省败退到四川省。一些四川军队起义了，他想组织起最后一次顽抗也不行，被解放军分割成好几块，包围在成都平原全部消灭了。有一小股逃出来，也没有逃脱被消灭的命运。

新疆和平解放了。

云南最后一股国民党军队，夹着尾巴逃到缅甸去了。

除了西藏和台湾，全国都迎来了解放的春天。

1949 年 10 月 1 日。

中华人民共和国成立了。

崭新的五星红旗飘扬在天空。

庄严的国歌——《义勇军进行曲》响彻了云霄。

北平改名叫北京，定为中华人民共和国的首都。

一个巨大的声音震撼了世界。

毛泽东在天安门城楼上庄严地宣告：中华人民共和国成立了！

中国人民从此站起来了！

165

开国大典

图书在版编目（C I P)数据

讲给孩子的中国历史 .4,近现代/刘兴诗　著 .—太原：
希望出版社,2000.9

ISBN 7 - 5379 - 2339 - 6

Ⅰ. 讲… Ⅱ. 刘… Ⅲ.①中国－历史－儿童读物　②中
国－近代史－儿童读物　③中国－现代史－儿童读物
Ⅳ.K209

中国版本图书馆 CIP 数据核字(2000)第 51574 号

讲给孩子的中国历史（4）

近现代

刘兴诗　著

＊

希望出版社出版发行（太原建设南路 15 号）

山西人民印刷厂印刷

＊

开本：787×1092　1/16　印张：10.75　字数：140 千字

2000 年 9 月第 1 版　2001 年 10 月山西第 3 次印刷

印数：4 001—7 000 册

＊

ISBN　7 - 5379 - 2339 - 6/G·1898

定价：100 元（全套）